Danjire

Maxamed Cali Nuur
(Ameeriko)

ISBN 978-9966-139-52-8

Printed by:
Graphic Lineups Ltd
P.O. Box 49912 - 00100
Nairobi, Kenya.
Tel:+254 020 2244 284
Email: info@graphic.co.ke

Danjire

Tusmo

Danjire

Hibeyn

Waxaan buuggan **"Danjire"** u

hibeeyay labadaydii waalid:

Hooyo Xaawo Muuday Gacal

iyo

Aabo Cali Nuur Xuseen (Ameeriko)

Allaha u naxariisto labadooda.

Faalo

Tan iyo 1972kii, qoraalkii Af Soomaaliga kaddib, buugaag faro badan ayaa la qoray, lana faafiyey, hase ahaatee kuwa noocaan oo kale ah Soomaalida waa ku cusub yihiin. Noocaan markaan leeyahayna waxaan u jeedaa buugaagta ay waayahooda kaga warramaan dadka bulshada dhexdeeda magaca ku yeesha ee muddo siyaasadda ama diblomaasiyadda ku soo jirey ama arrimaha horumarinta ummaddooda ka soo shaqeeyey sida waxbarashada, dhaqanka iyo hiddaha, warfaafinta, caafimaadka, dhaqaalaha, iwm.

Buugaagta noocaas ah oo reer Galbeedku ay ku magacaabaan (autobiography) waxaa loogu irkadaa waayo'aragnimo. Sidaas awgeed, qofka qoraaya waxaa laga fishaa inuu ka run sheego tijaabooyinkii uu soo maray, si dadka ka dambeeyaa ay ugu taamilo qaataan. Waa markhaati taariikheed oo qofka qoraaya oo keliya aan ku saabsanayn, qaybna ka noqon kara taariikhda ummadda uu qofkaasi danaheeda guud wax ka soo qabtay.

Inta aan xusuusto, buugaagta noocaas ahi, tiro ahaan, afar ilaa shan kama badna, dhamaantood waxay soo baxeen wixii qaran jabka ka dambeeyey. Waayaha iyo halganka nololeed ee dadka qoray ka sokoowna, waxay ka hadlayaan siyaasadihii Soomaaliya lagu soo maamulaayey tan iyo 1960kii, markii laba gobol oo 5ta Soomaaliya ka mid ahayd ay gobannimadooda ka qaateen gumeysteyaashii Ingiriiska iyo Talyaaniga.

Si kastaba ha ahaatee, buuggan magaciisu yahay **Danjire** oo ku saabsan taariikh nololeedka Danjire Maxamad Cali Nuur (Ameeriko) wuxuu ku soo biirayaa, uguna dambeeyaa buugaagtaas tirada yar ee sidaan soo sheegay dadka qaarkood ay ku soo bandhigaan waayo'aragnimadooda shakhsi ahaaneed.

Nasiib wanaag, intaan la daabicin ayay ii suuragashay inaan isha mariyo qaybaha uu buuggu ka kooban yahay: waxbarashadiisii hore, tii dambe ee dibedda, burburka ka hor shaqadii uu qaranka u soo qabtay ilaa uu

Danjire

ku biiray diblomaasiyiinta Wasaaradda Arrimaha Dibedda.

Taariikhdiisa shakhsiga ah ka sokoow, waxaan buugga ku arkay, ina soo jiitey dhacdooyin xiiso leh oo wax ka iftiiminaaya xilliyo Soomaalida xanuun badan u sidey, gaar ahaan xilligii qaran jabka.

Wuxuu Danjiruhu si faahfaahsan uga warramayaa dhibaatooyinkii, isaga qof ahaan, ka soo gaarey dagaalladii sokeeye ee 1991kii.

Xamar ayuu ku dhashay, wuxuuna ka soo jeedaa qoys magaaladaas si aad ah looga yiqiin, laguna tirin karo qoysaska dabaqadda dhexe, waa haddii Soomaalida dabaqado loo kala qaybin karee. Ha ahaatee, intaasiba waxba uguma fillaan maalintii inta la soo weeraray gurigoodii loo dhacay, rasaasna oodda lagaga qaaday!

Dhacdadaas wuxuu Danjiruhu ku waayey Yaasmiin oo ahayd gabar 18 bilood jir ah oo uu dhalay! Si murugo ku dheehan tahay ayuu dhacdadaas uga warramayaa, hadalkiisa sida ka dhadhamaysana, weli kama uu samrin oo Yaasmiin way u sii muuqataa!

Waa dhacdo ina baraysa inaan difaaca qabiilku isku hallays lahayn, gaar ahaan waayadaan casriga ah ee la hubsaday, dawlad mooyee, in bedbaadada muwaaddinka aan cid kale shafka u garaaci karin.

Dhacdooyinka iyaguna xiisaha leh ee buugga ku jira waxaa ka mid ah hawlihii uu Maxamad Cali Nuur (Ameeriko) Nayroobi ka qabtay markii 2007dii lagu soo magacaabay Danijraha dalka Soomaaliya ee Keenya.

Wuxuu dalkaas shaqo ka bilaabay iyada oo Soomaalidu ay ku silicsan tahay, iyada oo gurigii weynaa ee safaaraddu lahayd uu cid kale gacanteeda ku wareegey, iyada oo si aad ah magacii Soomaalinnimo uu u dhaawacan yahay! Wuxuu Danjiruhu inooga warramayaa arrimahaas xanuunka badnaa siduu u farsameeyey, siday jaaliyadda Soomaalidu madaxa ula soo kacday, gurigii Safaaraddu siduu gacanta dawladda Soomaaliyeed ugu soo noqday, iwm.

Danjire

Waa buug waxyaabo badan waayeelka xusuusin kara, dhallinyaraduna ay ka baran karto taariikhda dhow ee dalkooda hooyo. Waxaan ku talinayaa ciddii heli kartaaba inay akhriso.

Axmed F. Cali (Idaajaa)

Neyroobi, Maarso 2020.

Danjire

Ereyga qorayaasha

Habka ugu wanaagsan ee aad ku fahmi karto dabeecadaha bani'aadanka, awoodahooda, dareenkooda, maankooda iyo kala duwanaantoodu, waa daraasaynta iyo u kuurgalidda sadarradii taariikhdu ka qortay iyo raadadkii ay ka tageen. Wixii tix iyo tiraab laga yiri. Wixii toos ama si dadban loo tabiyey. Ogaanshaha arrimahaan ayaa inagu caawinayo inaan baranno shakhsiyadda qofka, islahaanshaha magaca la bixiyo iyo muuqaalka dhabta ah ama kala duwanaanshohooda, waana halkii uu abwaanku ka lahaa:

Dadka muuqa sare iyo
Magacuu ka siman yahay
Balse maanka hoosiyo
Meel dheer ka arag iyo
Maskax iyo waxgarad baa
Lagu kala macaanyahay

Tilmaamaha laga bixiyo ruux taariikhdu xustay, ayaa ina baraya qiimaha qof leeyahay. Taasoo qofka ku noqon karta bar madow oo hoos u dhigta ama billad sharafeed qiimo iyo qadarin u kordhisa, magaciisa iyo muuqaalkiisa, inta uu dunida joogo ama mawdka dabadii. Khasab ma ahan in himilooyinkii qofkaasi lahaa uu wada gaaro, waxaase inta badan loo tixgaliyaa wixii uu ku haminayay iyo intii ay awooddiisu ahayd ee uu xaqiijiyey. Sayid Maxamed Cabdille Xasan (AUN) ayaa sheegaya in hoggaamiyuhu wixii uu awoodo qabto, marna uusan qasaarayn haddii ay niyadiisu fiicantahay.

Wuxuu sheegayaa dhawr arrimood oo uu jeclaan lahaa, balse uu heli waayay, badalkoodana uu kuwo kale rajaynayo:

Hadaan waayay calan lay nashiro tan iyo Nayroobi
Miyaan waayay naamuus janniyo daalac iyo naasil

Danjire

Hadaan waayay ruux iga naxoo, ii nasabad sheegta
Miyaan waayay naxariis Alle iyo Nebiga (CSW) jaahiisa

Waxaa kuu muuqanaya in hoggaamiyaha dhabta ahi uusan marna khasaarin, oo haddii uu ujeedadiisa fiican gaarana uu guul hore gaaray, haddii uusan gaarinna niyadiisa lagu abaal mariyo.

Tiro akhristayaasha adduunka ah ayaa daneeya inay wax ka ogaadaan tilmaamaha dhabta ah ee hoggaamiye bulsho lahaa, iyaga oo ujeedkoodu yahay dhawr arrimood:

a. In ay ogaadaan sirtii dhaqan akhlaaqeed ee uu lahaa hoggaamiyahaasi, si ay u barbar dhigaan midda ay iyagu leeyihiin, waa haddii uu yahay mid guulaystay ama ay uga leexdaan haddii uu yahay mid guuldaraystay.

b. In ay ka faa'iidaystaan xirfadihii u ogolaatay heerka hoggaamineed ee uu gaaray shakhsigaasi.

c. In ay ku kordhiyaan wacyigooda aqooneed iyo kan taariikheed.

Gogoldhig iyo Xogwaran

Buuggaan wuxuu ka warramayaa sooyaalkii nololeed, shaqo maalmeed iyo siyaasadeed ee danjire Maxamed Cali Nuur (Ameeriko) uu muddo sideed sanadood ahaa danjiraha Soomaaliya u fadhiya Kenya[1], sidoo kale ah samafale gargaara dadka dhibban, u ololeeya nabadda iyo in dadka Soomaaliyeed helaan dawladnimo iyo xasilooni waarta. Buuggaani ma aha malo awaal, waa xog uruurin isugu jirta waraysiyo toos ah oo aan la yeelanay danjire Maxamed, xogo waafi ah oo ay nala wadaageen dad la shaqeeyey oo isugu jirey saaxiibo, shaqaale, madax ka sarraysay iyo shacab shaqo iyo samafal ay dhex mareen, ugu dambayn kuwo aan u soo

---

[1] *Sannadii 2006dii ayaa dib loo furey safaaraddii Soomaaliya ay Kenya ku lahayd, iyada oo Danjire Ali Ameerikana uu noqday ku sime safiirkii ugu horreeyey ee dib loo magacaabo, isaga oo si rasimi ah loogu wareejiyey waraaqaha aqoonsiga bishii Oktoobar 19, sannadii 2007dii.*

joognay annagu. Waxaan ka fogaannay buun buunin, taas badalkeeda waxaan raadinay oo aan ku ekaannay wixii xog iyo xaal ah ee la hubo.

Qoraalkaanu wuxuu hordhac u noqon doonaa silsilad dhaxal reeb ah oo dib loogu eegayo hoggaamiyeyaashii Soomaaliyeed wixii dhib iyo dheef ay ka tageen, waayo Soomaaliya waxaa ka dhacay wax aan horey dhegi u maqal, dhaayana u arag, taariikhdana aan lagu sheegin. Xogta danjire Maxamed Cali Nuur (Ameeriko) ee buuggaani ka waramayo, waxay qayb ka noqonaysaa, waxa dhaxal galka ah ee xilliyadaan dhibka badani dhacay uu ka bedelay xaaladihii adkaa, kalana duwanaa ee haystay bulshada.

Waxaan isku hawlnay in aan wax ka iftiiminno dhacdooyinkii taariikheed ee dhaxal galka u ah Soomaaliya oo uu ku talaabsaday danjiruhu.

Buuggaan waxaa lagu naqshadeeyey hab dhaqanka Soomaalida. Waxaa lagu marriimeeyey suugaan, maahmaahyo iyo hal qabsi dhaxalgal ah. Buuggu wuxuu sidoo kale qeexayaa hufnaanta maamul iyo karti ee danjire Maxamed Cali, isaga oo meelaha qaar na tilmaamaya gaabisyo, duruuftii ku xeernayd ay soo jiidday iyo duruufuhu keeneen.

Afeef

Iimaha iyo wixii gef ah ama ilduuf ah oo buuggu leeyahay iyo sida lagu hagaajin karo, wixi talooyin ah ee sixiddiisa ku saabsan, waxaan codsanayaa in nalala soo wadaago, intaan la gaarin soo saarka labaad. Wixii kamma’ ah raalligelin baan ka bixinaynaa kasna maba ku jiri doono.

Raadraaca Buugga

- Waraysi toos ah oo danjire Maxamed Cali Nuur (Ameeriko) laga qaaday.
- Dhacdooyin taariikheed oo aan maqal ama muuqaal ugu soo joognay.
- Suugaanta Soomaalida, gaar ahaan kuwa laga tiriyey waddaniyadda iyo maamulka.
- Dhacdooyin waaweyn oo ay warbaahinaha kala duwan tabiyeen.

Mahadnaq

Waxaa mahad oo dhan iska leh Eebbihii taagay samada tiirar la'aan, dhulka fidiyey cid la kaashi la'aan. Qofkaan dadka wanaagga u galay, mahadinna wanaag malahan ayaa la yiri, waxaan mahad u celinayaa qorayaal iyo dad kale oo qiimo leh oo sixidda buuggaan igala qayb qaatay.

Waxaan ugu horayn u mahad celinayaa qoraaga Soomaaliyeed, suugaan iyo taariikh yahan Axmed Faarax Cali (Idaajaa) oo dul maris ku sameeyey buugga.

Dadkaan u mahad celinay, dhallinyarada qalinleyda ah ee ka mid ah xarunta dhaqanka Awjama Cumar Ciise ee ku taal Nairobi, oo qayb weyn ka qaatay sixidda buugga, waxaana ay kala yihiin: -

1. Khadar Maxamuud Xareed
2. Saamiya Salaan Nuur
3. Ismaaciil Ibraahim Ismaaciil
4. Raxma Mire

5. Sufiyaan Siciid Maxamed
6. Muna Xaashi Cabdilaahi
7. Ibraahim Xasan Rooney

Si gooni ah waxaan u xusayaa, saddex saaxiib oo gacan mug leh iga siiyey soo saaridda buuggaan:

1. Qoraa: Maxamed Xasan Maxamed (Cirro)
2. Qoraa: Cabdirisaaq Ismaaciil Xaashi (Cirro)
3. Wariye: Maxamed Axmed (Ilkacase)
4. Weriye: Xassan Cumar Baafo
5. Weriye: Salmaan Jamaal Saciid

Waxaa kale oo mahad balaaran iga mudan asxaab qaaliya oo buugga talooyin dhaxal gal ah iga siiyey, kana qayb qaatay ururintiisa: -

1. Cabdicasiis Cali Ibrahim (Xildhibaan) oo ah qoraa Soomaaliyeed
2. Laashin Xuseen Madoobe oo isna ah Abwaan Soomaaliyeed

F.G: Waxaan si gooniya u xusayaa una mahadcelinaya Nuradiin Aadan Diiriye oo lahaa magac bixinta buugga **"DANJIRE".**

CUTUBKA

CUTUBKA 1

HOGAAMIYE

Danjire

Hogaamiye

Muhiimadda ay leedahay in laqeexo hogaamiyaha mujtamaca ama bulshada hoggaamiya. Micnaha erayga hoggaan waa xarrig lagu xiro awrta ama geela, awrtu waxay u kala baxdaa seddex marxaladood oo kala ah:

a. Leyli

b. Baarqab iyo

c. Raray ama hayin

Seddexdaan qeybood ee ay u kala baxaan awrtu, waxay kala yihiin:

a. Leyli waa marka awrka lagu bilaabo in la rarto ama loo carbiyo in la dhaansado, laguna guuro. Marka kowaad waxaa awrka leyliga labara hoggaanka, oo seddex qeybood ah:

1. Keenno

2. Bishin tuur iyo

3. Hogaanka

Awrku markii loo carbiyo oo la layliyo wuxuu qaayibaa ama qaabilaa in la raro oo la hogaamiyo, waxaana lagu xiraa xarrigga loo yaqaan hoggaanka, markaas kaddib ratigu wuxuu isu beddelaa hayin, waxaana hogaamin kara qof kasta oo hoggaankiisa ama xarrigiisa qabta.

b. Baarqab; awrkaan lama hogaamiyo, waxaana lagu daraa geela dheddiga, lama rarto, shaqadiisu waxay tahay in uu geela tabiska ah ee abasaxay rimiyo.

c. Raray waa rati la carbiyey oo loo tababaray in la nacfisado, reerka lehna macno weyn iyo qiimo ugu fadhiya. Wuxuu waraabiyaa dadka iyo duunyada inta nugul ee aan gaari karin goobaha biyaha laga soo aroorto. Wuxuu quudiyaa oo calaf iyo cunto loogu keenaa guri joogta, oo marti iyo mudane ba leh. Waa lagu guuraa oo reerku wuxuu saartaa wixii agab ah ee reer adduun lahaa. Waxaa la saaraa oo loo gureeyaa gurboodka yar yar ee aan orod iyo socod midna ku gaarin geeddiga iyo hayaanka dheer. Waxaa lagu qaadaa dadka jirran oo waa ambalaas (ambulance) aan habeen iyo maalin taayir ka banjarin, shidaalna ka dhammaan. Intaas iyo in kale oo badan buu raraygu yahay, waxaanna tilmaami doonnaa xiriirka hogaanka iyo raraygu la leeyihiin hogaamiyaha bulsho iyo waliba meelaha ay iskaga egyihiin.

Haddaba micnaha hogaan waa labo macno oo is huwan. Mar waxaa lagu matalayaa xarigga u dhexeeya ratiga iyo qofka wada, oo waxaa la eegayaa bulshada iyo hogaamiyeheeda waxa isku haya. Mar waxaa laga eegaya in uu yahay ciddii xarigga wadday oo neefkaan xoolaha ah ee aan nacfigiisa isagu dadka uga faa'iidayn karin bulshada uga faa'iidayn lahaa. Labadaas oo la isku daray ayaa noqonaya macnaha dhabta ah ee hoggaamiye bulsho, waana jeheeye umadeed.

Caalim Soomaaliyeed oo la waydiiyey maxay Soomaaliya dowlad tayo leh uga dhismi wayday? ayaa yiri "Waxay Soomaaliya u baahantahay hogaamiye, waxayse haysataa siyaasiyiin farabadan oo wan wanaagsan".

Halkaas waxaa ku cad in hogaanku yahay wax ka duwan siyaasiga aynu manta dunida ku naqaan.

Ahmiyadda hogaamiyaha

Hogaamiyuhu wuxuu reebaa raadad iyo taariikho ay ku daydaan jiilasha hadba dunida ku soo biira. Waxaana muhiim ah inaad ogaatid hoggaamiye aad ku dayatid ama aad tusaale ka dhigato, haddaba waa inaad ogtahay hogaamiyaashii dunida taariikhda uga tagay kuna soo kordhiyey hannaan wanaagsan oo looga dayan karo.

Danjire

Hogaamiyuhu ma aha keliya qof siyaasadda u soo halgamay, madaxweyne soo noqday ama xorriyad u soo dagaalamay. Waxaa hogaamiye lagu sheegi kara cid kasta oo ummad guul ku hogaamisay, cid kastoo mujtamac ama bulsho nolosheeda wax ka beddeshay, cid kasta oo dunidaan aan ku nool nahay ku soo kordhisay falsafad ku dhisan manafacaad iyo hormar.

Ahmiyadda ay leedahay in hogaamiye wax laga qoro waa mid bulshada muhiim u ah, waayo haddiiba aan la ogaan micnaha hogaamiye, lama fahmi karo sida aadanuhu u kala aqli iyo karti badan yahay, waa inaan kala saarnaa hogaamiye iyo la hogaamiye, markaas waxaa fududaanaysa kala dembaynta aadanuhu ku hormaray. Rasuulkeenna Maxamad (Sallalahu Calayhi Wasalam) ayaa yiri: "Haddiiba aad saddex gaartaan yeesha hogaamiye".

Aadanaha wuxuu u kala baxaa hogaamiye iyo la hogaamiye, tani waxay inoo caddeynaysaa in bani'aadamku uusan ahayn dhammaantii dad wax wada hogaamiya. Fahamka hogaamiye bulsho wuxuu qeyb ka qaataa inaan bulshadu ku jaha wareerin shaqsigii hogaanka u qaban lahaa, waxaana toos loo wajahaa qofka ku sifooba hogaamiyaha.

Taas beddelkeed haddii bulshadu garan weydo ama ogaan weydo hogaamiyaha ku dhex jira ama aan lagu samayn cilmi baaris, baaritaan iyo iska soo dhex saarid shaqsiga hogaamiyaha, bulshadaasi waxay noqotaa mid aan ku bararugsaneyn hormarka aadanuhu ku tillaabsaday.

Maxaa lagu gartaa hogaamiye?

Ummaddu markay ogaato hogaamiyahooda ama shaqsiga hogaaamin kara, waxay yeelataa kala dambeyn, is ixtiraam iyo qadarin, waxayna ku gaaraan guullo. Ummadi ma guurto, go'aannana ma gaarto, ilaa hogaamiyuhu iclaamiyo geediga, waxayna cagta saartaa sahankii iyo saadaashii hogaamiyuhu keenay, taasaa ah midda muhiim ka dhigaysa inaan oggaano hogaamiyaha.

Danjire

Soomaalidu waa dad xigmad badan, hogaamiyuhuna wuxuu soo ifbaxaa yarantiisa, wuxuuna gebi ahaanba ka duwan yahay shaqsiyaadka kale. Waxaa la yiri beribaa waxaa dhacday in xaajo isku murugtay ayaa loo saaray garcadaa(odayaal) kala gooya xaajada. Soomaalidu geed hoostiis ayey ku dhamaysan jireen xaajooyinkooda, gartooda iyo go'aamadooda.

Geedkii garta lagu qaadayey ayaa waxaa dusha sare ka fuushanaa wiil yar, waxaa dhacday in xaajadii ay sii murugtay, odayaashii iyo guurtidii waxay talo ku gorfeeyeen in rag waaweyn loo saaro xaajadan, waxaase maqlay wiilkii yaraa, markaas ayuu ku yiri; "Adeeryaal duqoow ha saarinee ee dad wax garanaya saara," taaso muujinaysa garashada hogaamiyuhu inuu yaraantiisa la soo baxo, intaas markuu yiri wiilkii yaraa, ayaa guurtidii go'aamiyeen in guddiga lagu daro wiilka yar. Ummaddaan hogaamiyaheeda ogeyn ma ahan kuwo baraare iyo barwaaaqo gaara.

Astaamaha hogaamiyaha

Hanaanka lagu yaqaan hogaamiyaha dhabta ah ma aha mid qoraal lagu soo koobi karo, waxaase xoogaa tusaaleynaynaa hababka ugu dhow ee hogaamiyaha dhabta lagu garto, taaso ah inaan ogaano kala duwanaashaha hogaamiyaha iyo la hogaamiyaha.

Hogaamiyaha dhabta ah waa mid ka soo dhex baxa bulshada, waa mid soo baxa xiliga ugu habboon ee bulshadu u baahan tahay, waana midka beddela hab dhaqanka bulshooyinka ama mujtamaca. Hogaamiyaha dhabta ah waa mid fekera, una fekera hab ka duwan hababka bulshooyinka uu la nool yahay, waa mid wel wel ka qaba uguna shaqayn lahaa siduu hormar u garsiin lahaa dadkiisa iyo dalkiisa.

Hogaamiyaha waa mid khataro badan u bareera, waana mid guusha gaara khataraha kaddib. Hogaamiyaha dhabta ah wuxuu leeyahay go'aan adag iyo gacan furan, waana midka lagu xisaabtamo markii mujtamaca ay la soo gudboonaato xaallal adadag oo u baahan maarayn.

Aan u daadegno marka taariikhda danjire Maxamed Cali Nuur (Ameeriko) wakhtiguu soo shaac baxay oo ahaa xilli adag iyo wuxuu ku soo kordhiyey bulshada Soomaaliyeed.

CUTUBKA 2

AABE CALI NUUR (AMEERIKO)

Danjire

Aabe Cali Nuur (Ameeriko)

Qiyaasta bilowgii qarnigii 20aad dhexdiisa ayuu Aabe Cali Nuur Xuseen (Cali Ameeriko) ku dhashay dhulka daaqsinta wanaagsan ee u dhexeeya tuulooyinka guddo iyo ceel cirfiid oo hoos taga magaalada Balcad ee gobolka Shabeellada Dhexe. Wuxuu ka dhashay qoys xoolo dhaqato iyo beeralay ah oo meesiyada nimcoolayda Alle ku manaystay. Aabe Cali Nuur isagoo sagaal jir ah ayay labadiisii waalid aakhiro u hooydeen, Allaha u naxariistee.

Nolosha oo agoonnimo iyo rajonnimo lagu wada noqdo ma ahan mid ruux aan dheg ka maqal mooyee ama aan dhaayo ku arag looga sheekayn karin, qofka wax kastoo ku dhacana waa inuu uga sheekeeyaa taariikh ahaan, si waxa noloshiisa la soo gudboonaada wakhti wanaagsan iyo mid xunba uu uga sheekeeyo. Sida uu cabiraayo laashin loogu yeeri jiray Muluq (AUN), uuna ku cabirayey guurow la yiraahdo "Ilaahow na bixi", waa guurow dhinacyo badan nolosha wax ka baraya. Wuxuu yiri laashin Muluq:

Gabagu waa bil dhalatoo macnaha been ka saafiyahe

Abwaankii la baro waa inow badiyo taariikhda

Boqollaal qofood waa inow buunda dheeryahaye

Wixii beriga muuqdaya wixii bila la soo mooday

Asigoon beddelin waa inow kala bayaanshaaye

Mase ba'aan bidaar diirantay iyo buro ku taal foolka

Ama boog la cunay ee tisxigu baad ka dhiganayo

Ama se baahi gurigaa taqaan badar la'aantiisa

Ama oon berrimadaa og iyo biyahaan kuu aallin

Ama naag bilcaan ehee waxay baratay kaa weyday

Danjire

Ninkise baahal koriyoow haddow boqonta kaa gooyo

Bermaad uga dacwootaa adaa soo barbaarsadaye

Buubaal nin dhaanshoow haddow biyaha kaa daadsho

Bermaad uga dacwootaa adaan soo hoggaan barine

Ninki buda weraayow haddii layrtu kala boobto

Bermaad uga dacwootaa adaa meel bannaan dhigaye

Ninki beer abuurow haddii bocor lagaa daaqo

Bermaad uga dacwootaa adaan baylah ka ogaanee

Nin basiin gedaayoow haddow gubayo booskaagu

Bermaad uga dacwootaa adaan kala baxnaaneyne

Billaawihi ad leedahay haddow bedinka naafeeyo

Bermaad uga dacwootaa adaa beecsadoo gedaye

Booyaasa naag qorateey goor ninkaa barayo

Bermaad uga dacwootaa adaa baydka keensadaye

Bad macaatay badar ceel ku yaal boqol jir caadootay

Abaar baad leh jiilaal biya leh hoga barwaaqaysan

Bun la diiday biirkoo la cabay booli lagu soomay

Bur mariida meel kaa bugtee lagu badbaadaayo

Nin sabbaad ku boorootiyee ida ku baanaaya

Bariirroow gacmaha lagu sidee baarri noqonaaya

Bili aadam kala baqanayee bahal rabbaayoobay

Bela lagu ducaystaya colaad beri sammaanaatay

Berka uur leh ee waalidkeed farax la boodaayo

Boodaan dammeer lagu xiree baar qab laga reebay

Beled Geel ka soofaye barqadi buraha loo qaaday

Danjire

Booyaas xakuma reerohoow wax u bislaynaayay

Beesaani jaamiciya iyo badaw xafiis joogee

Badahaas la owdaya intaan biyuhu maanshoodin

Jibaaluhu intay inya burburin beraha naafaynin

Buuraha rakiban iyo intaan ciiddu kala bayrin

Buunkii qiyaamaha intaan baaqa lagu yeerin

Baratada naflaydaa intaan baabah laga siinnin

Ilaahoow na bixi waadigaan baadilka aqoone

Basharkaad abuurtaan nohoon baadi kaa naqanee

Aabe Cali markii waalidkii maqaadiirtu qabsatay, oo labadiisa waalid ay geriyooden muddo hal sano gudahood, ayaa waxaa korintiisii la wareegay ehaladii dad u xigtay. Markii uu gaaray toban sano, wuxuu qaatay go'aan adag oo uu uga guurey noloshii reer miyiga ahayd, cindigiisana geliyey in uu u wareego magaalada Muqdisho.

Qof walba ma garan karo nolosha miyiga looga nool yahay, waa noole, noole kale ku dul nool. Mar waa baraare iyo barwaaqo, oo waa marka roob da'o oo barwaaqo ah, xooluhuna dararaan, oo cad iyo caanana yeeshaan. Xilligaa barbaartu waxay ciyaaraan gablay shimbir, heello, beerey, dhaanto iyo guuxo hadba midda deegaankaas laga yaqaan, deegaankaanse wuxuu caan ku yahay gablay shimbirka iyo shiribka.

Erayadaan iyo kuwo la mid ah ayay dhihi jireen:

Dhaxalna sheego waa dhibkeed
Ninba mahoow ku dhaqanyoo
Rabbi ku dhowray dhaafimaa
Dhulkaanu dadka wow dhextaal
Dhiishaasa ninba meel dhigtaa
Dhaxalna duulkii loo dhaloo
Rabi u dhigay waa u dhaaf

Danjire

Ereyadaani waxay ka mid yihiin shirib abwaan ku cabirayey sida deegaanku muhiim ugu yahay dadka iyo sida qofka ku nool u yahay kan markasta ilaashada, inuu ka socdaalana ay ku xiran tahay, hadba duruufta ka jirtaana siday qofka noloshiisa u bedesho. Haddaan wax yar ka tibaaxno maansada shiribka, waa ereyo hees ciyaareed murti iyo xigmad badan leh, taas oo jaanteedana la dhaho "Shir" si fudud ayaa shiribka loo curin karaan, loona qaybi karaa, maadaama uu afarey gaagaaban isugu xiran yahay.

Waxaa shiribka inta badan laga tiriyaa gobollo badan oo ku yaal Soomaliya, waa maanso hees hawleed, baraarujin, waano, wax u sheeg, wadaniyad, degaan ilaalin, haasaawaha da'yarta iyo arrimaha kale ee bulshadaba lagu cabiro.

Marna waa waano iyo wacdi oo dadka diintaa lagu faraa, sida ereyadaan oo kale;

Ninkii salaadya soon leh
Saciiro seexan maayo
Cirka caadkaa u cambuur ah
Carradaan Eebbena cawska!

Ereyadaani waxay tilmaamayaan hadba sida wacyiga bulshada ay tahay dadka deegaanka ku nool inay ugu cabiraan shirib, si ay dhaxal ugu noqoto kuwa dambe, in xaaladdaha nololeed ee markaas jirana taariikh loogu sunto, waana sida shiribleyda iyo dadka maansada tiriyaaba maankooda uga abuuraan.

Cimilada wadanka ee afarta xilli ee kala ah gu', xagaa, deyr iyo jiilaal waa kuwa hadba jaan gooya nolosha bulshada, iyadoo marka barwaaqo jirto rayn rayn badani jirto, halka marka xaaladu isbedeshana noloshu adag tahay, waa marka dhirta caleemaha ka dhacaano, dhambaliishuna daadato, wixii balli biyo jiifeenna qallalaan, waxaa loo ceel degaa hadba halka biyo ugu dhaw. Ciduhu waxay u kala hayaameen ilo biyoodyo aad u kala durugsan, cid kastana waxay u guurtaa meel carshinna leh, ceelkana ay uga aroori karaan.

Nolosha miyiga la isuma turo, la isuma naxariisto. Qofkasta oo qoyska ka mid ah wuxuu leeyahay shaqo la rabo in uu qabto. Looma eego duruufihiisa dadnimo ee waa madax ka tiris. Hawlaha la qabto waxaa ugu muhiimsan kuwa xoola raacidda ah oo lagu bilaabo da'aad u yar.

Marka ilmuhu dab ka leexdo, haddii ay gabar tahay, waxaa loo diraa maqasha iyo waylaha, haddii uu wiil yahayna ubadka iyo awrta dabran.[2] Aabe Cali noloshaas ayuu ku waalid waayey, dhibkii nolosha waxaa ugu darsamay dugaal la'aan uu waayey cid uu dugsado.

Wuxuu Xamar soo galay xilli Soomaalida ku nooli ay ku jireen waayihii madoobaa ee dhulka Soomaalidu uu gacanta ugu jirey gumaystihii saanta caddaa ee galbeedka ka soo duulay ee kala ahaa Ingiriis, Talyaani iyo Faransiis. Aabe Cali wuxuu yimid magaalada Muqdishu, wuxuuna ku soo degay walaashiis Eedo Madiino Nuur Xuseen (AUN), oo markaas deganayd xaafadda Boondheere, oo ka mid ahayd xaafadihii Xamar ugu qadiimsanaa.

Qofka markuu magaalo soo galo horayna uusan ugu noolayn, waxay ku noqonaysaa nolol cusub oo waayaheeda leh, waxaana Soomaalida tiraahdaa magaalo maro kaa badan, maan kaa badan iyo maal kaa badan ayaa lagu joogaa, laashin Cabdulle Axmed Maxamed (Cabdulle Geedanaar) oo ah abwaan aad looga danbeeyo, wuxuu guurowgaan soo socda oo la yiraahdo *"Maahmaahyo"* ku cabirayaa qaabka dadka darajo ahaan ay magaalo ugu kala yihiin, waa guurow soo koobaya waxyaabaha nolosha quseeya;

---

[2] *Waa kala duwanaan karaan shaqooyinka carruurta loo diro, oo waxaa laga yaabaa inaad taqaan gobollo da'da iyo duunyada loo diro ka duwn tahay midka aan tilmaannay, waana deegaanka iyo sabanka marba la joogo wax ku xiran.*

Danjire

Maal badan ninkii yeeshay iyo maro adduunyaale
Amba macallimoow gaaray ee miin ku darejaysan
Amba muuq qurxoon lagu arkoo midab u nuuraayo
Amba maanso badan lagu arkiyo hadal macaanaaday
Aadane inuu milicsiyaan, cidina moogayn'e
Mowlow noo dhaxeey waa adigii magaca waynaayee

Maahmaahyada haddaan soo qodiyo hadalka maantoo ah
Mool sireed ha qodin oo Islaam lagu mixnayhaayo
Mohow kugu sugaayaa had waa lagama moodaan'e
Mar uunbaad galeysaa waxaad keli miraaftaaye

Maahmaahyada haddaan soo qodiyo hadalka maantoo ah
Labo maytideey kugu rabaan sida ah maankooda
Labo inaad maqnaatay rabaan maanta idilkeed'e
Labo muuqashay kugu rabaan minanka jooggiisa

Martidii muraad kaa leh oo minanka soo aadday
Iyo maalka kaaga intaad maamulka ahayday
Muuqishiyo waxay kugu rabaan minanka jooggiisa

Macyuub ina adeerkaa ahood magac darruu diidday
Ee maal asaan dhiibi rabin laga maroogsiiyay
Munaafaqa shisheeyoo cabsada meel uu kuu jeedo
Labadaasna maankooda waa inaad ka maytaawdo

Maahmaahyada haddaan soo qodiyo hadalka maantoo ah
Middi dheer ninkii kaaga muday meel aan laga cayman

Danjire

Ee miirku miriq kaaga yiri amaad ku maytaawday

La dhahoo muxuu kaa qabood ugu muraadaysay

Hadduu waa la maadsaayay dhaho sow mushkila maahan?

Maahmaahyada haddaan soo qodiyo hadalka maantoo ah

Maalmo badan nafkii kaa maqnaa ood u meer-meertay

Moorada ninkuu ugu jirood maanta uga jeeddo

Hadduu maarag weligay ku dhaho sow mushkilad maaha

Maahmaahyada haddaan soo qodiyo hadalka maantoo ah

Nin marqaatigeed loogu yimid xaajo muran gaartay

Ma heshaa haddii ay dhahaan niman maqaabeen ah

Uusan maya iyo haa toona dhihin sow mushkilad maaha!

Waqtigaas aad bay waddanka ugu yaraayeen Soomali laga xoogsado iyana loo xoogsado, waddanka waxaa haystay gumaysigii Talyaaniga, Ingiriiska iyo Faransiiska, waxayna Soomaalida ku jirtay harday gumaysi diid. Shiikh Axmed Shiikh Abiikar Xasan Shiikh Axmed Wacdiyow (Gabyow) Allaha u raxmadee, wuxuu ka mid ahaa halgamayaashii gumeysi diidka ahaa ee la dagaalay gaaladii dalka ku soo duushay, gaar ahaan kuwii Talyaaniga ee Koonfurta Soomaaliya joogay, waxaa uu ku dagaalami jiray af iyo adinba.

Shiikha waxuu ku dhashay degmada Cadale, waxaa uu ahaa nin caalim ah oo diinta Islaamka aad u yaqaan, waxaa kaloo uu ahaa gabayaa tiriya gabayga nooca loo yaqaan masafada, waxaana ka mid ahaa, maanso uu

Danjire

kaga hadlayey gumaysi diidka: -

Rajulka kaafur ah ee rugtaan yimid

Sidii Rasuul Rabi nalooma soo dirin

Mana rabnoo naga reed bax waa niri

Hadaad ruux la dagaasho kaa roon

Reerkaad u kaasha laheedne kaa raagaan

Ragoow hadoo qalbi waa la rafaadaa

Mar ay Cadale tageen odayaal Soomaali ah oo Talyaaniga u soo diray iney Shiikha kala hadlaan joojinta suugaanta uu dadka ku kicinaayo ayaa waxa uu sheekhu mar kale yiri:

Soomaaliyaan u dagaalamaynaa

Dalkeena balaaran u daafacaynaa

Kufriga soo dagay diida leenahay

Kuwa dulmaaya la dood galaynaa

Dantiina duul kale dhowrimaayee

Hadaalinoo u dulqaata leenahay

Dabeysha mowdku intuu i daadihin

Hilibka duud cunin oonan deebna uu noqon

Dadka tus danahiisa aan leeyahay

Duruyadaada dab looma aasee

Kuwa dambaan u dariiq falaynaa

Xilligaas waxaa kaloo joogay nabaddon Xasan Geedi Abtoow(AUN), oo ka mid ahaa nabaddoonaddii gumaysiga sida tooska ah uga hor timid, diidayna fikradaha badan ay wateen. Waqtigaas waxaa lagu dagaalamayay hub, suugaan, dhaqaale iyo fikir diineed, laakin nabaddon Xasan Geedi Abtoow(AUN) wuxuu kula dagaalamayay gurmaysigii

Danjire

garaad iyo maskax caqliyeysan, aadna u ilaalin jiray dhaqanka Soomaliyeed oo uu markasta xiran jiray labada go' ee dhaqankeena ah.

Aabe Cali duruuftaas iyadoo ay Soomaalidu ku jirto ayuu magaalo soo galay, ma lahayn wax xirfad ah oo uu ku xoogsado, sidaas awgeed Aabe waxay dani badday inuu ku biiro dhallinyaradii la oran jirey "Ciyaal dambiil", dhallinyaradaasi waxay dambiilaha lagu adeegto u qaadi jireen Talyaaniga u soo adeegtaga suuqa Xamarweyne ee magaalada Xamar.

Aabe Cali waayo kooban ayuu kiraysan jiray dambiil uu Talyaaniga wax ugu qaado, kadib lacag yar oo ka soo gashanna urursan jiray, wuxuuna lacagtuu urursaday ku iibsaday dambiil uu isagu iskii ugu shaqaysto oo uusan kiro bixinayn. In muddo ah ayuu ku meel gaaray shaqadaas. Waqti kaddib wuxuu shaqaale ka noqday guri uu lahaa maal qabeen Talyaani ah, isaga oo kaalmeeye u noqday cunto kariyaha guriga. Wuxuu helay mushaar ka wanaagsan tii hore, iyo waliba qadarin ka sarraysa xilliyadii uu soo maray.

Aabe Cali intaas oo uu marba shaqo hayay ama shaqaale ahaa, wuxuu ku dhinac watay waxbarashadiisa. Wuxuu dhiganaayey dugsiyadii fursadda siin jirey dadka aan yaraantoodii waxbarashada nasiibka u helin, dugsiyadaas waxaa lagu magacaabi jirey "Seeraalayaasha" kaas oo uu habeenkii dhigan jirey, ilaa uu dhamyeeyay dugsiga sare, qaataynа shahaada dugsiga sare.

Sida la garan karo dhallinyaradii Soomaaliyeed ee xilligaas waxay ahaayeen kuwo firfircoon oo yaraantooda lagu garto waxtarkooda, waana xilligii lagu maahmaahi jirey:

Fariid furaad kuma jiro

Nin laba jir u fuushan yahay lama xanto

Waa marki malahayga la tiriyey tuducdaan:

Wiil hadduu lab iyo toban jiroo, lali ahaan waayo

Danjire

Martilawga soo dhigay hadduu, luun ka rogi waayo

Ragannimo ludii kuma jirtee, liidane ogaada!

Haddaba isaga oo halkaas ka duulaya ayuu Aabe Cali ku biirey tartanka feerka oo uu ka mid noqday dhallinyaradii ugu horreysay ee Soomaaliyeed oo tartan feer ah gala. Muddadii uu cayaarahaas ku jirey wuxuu muujiyey wacdaro. Wuxuu soo hooyay guula badan, isaga oo garoomada feerka lagu cayaaro caan ka noqday.

Aabe Cali isaga cayaarahaas ku jira, ayuu shaqo ka helay shirkad Maraykan ah oo ceelasha biyaha qodi jirtay. Khibradda iyo daacadnimada uu ka helay shaqada ayaa keentay in Aabe Cali shirkaddaas ka mid noqdo madaxda sare ee shirkada, iyada oo markii dambe loogu naanaysay ***(Cali Ameeriko),*** taas oo dadka yaqaannay sheegeen la shaqaynta Maraykanka ka sokow inuu u labisan jirey sida dhallinyarada Maraykanka. Aabe Cali Ameeriko wuxuu ahaa nin furfuran oo dhallinyaradu ay aad u jecel yihiin. Nin dantiisa yaqaan oo aan lagu aqoon camal la'aan iyo meela istaag. Nin dadka waaweyn iyo culimada qadariya oo niyad wanaagsan.

Asaaskii qoyska Aabe Cali (Ameeriko)

Wax la joogaba, Aabe Cali wuxuu gaaray xilligii guurka. Wuxuu bilaabay inuu miyi iyo magaalaba ka raadiyo marwo u qalanta, ugu dambayna wuxuu calmaday ina Muudey Gacal. Xidid iyo xigaalaba waxaa la isugu tagay sidii guriga Aabe Cali loo yagleeli lahaa, Alle na waa taabo geliyey. Aabe Cali wuxuu la aqal galay Hooyo Xaawo Muudey Gacal oo iyana ku dhalatay xaafadda Boondheere ee magaalada Muqdishu. Hooyo Xaawo waxay kaga baxday dugsiga hoose, dhexe iyo sareba Muqdisho, sidoo kale waxay baratay farsamada dhaqaalaha guriga, oo ay baratay sida harqaanka loo tolo, iyadoona guriga dhexdiisa kaga shaqaysan jirtay. Aabe Cali iyo Hooyo Xaawo waxay curteen 12kii Oktoober 1962dii, iyaga oo Eebbe ku irsaaqay Maxamed Cali Nuur Xuseen oo ilaa maantana magacii (Ameeriko) loo yaqaan.

Hooyo Xaawo iyo Aabe Cali waxay isu dhaleen saddex wiil, kuwaas oo kala ahaa:

1. Maxamed Cali Nuur Xuseen
2. Maxamuud Cali Nuur Xuseen
3. Cabdullahi Cali Nuur Xuscen

Hooyo Xaawo Muudey Gacal waxay ahayd qof aad u naxariis badan, oo masaakiinta iyo danyartu ay jecel yihiin. Waxay ahayd qof marka muuqaalkeeda la arko la xusuusto macnaha hooyonimo.

Maansadan saarka ah oo la yiraahdo 'Hooyo' waxaa hal abuuray abwaan Carays Ciise Kaarshe (AUN), wuxuu yiri abwaanku:

Innaga oon haybad qabin
Hal beesa aan suubsan karin
Habaaskeey naga huftoo
Waa tii noo hiilisayee
Hooyadu waa lama huraan
Sidaanaan halis u gelin
Hungurigeey suubisaa
Dhaqsaba hoo nama dhehdee
Intii ey ka hubsataa
Iyada yaa ku hormartee
Hooyadu waa lama huraan

Geed yare kaa hooshay meel
Hadii aad haah dhehdaa
Hubkii bey ka handadoo
Iyada oon hagar lahayn
Haaw waa tii soo dhehdee
Hooyadu waa lama huraan

Danjire

Waxyaaba dadkii yaqaannay ay ku xusuustaan Hooyo Xaawo (AUN) waxaa ka mid ahaa u naxariisashada dadka gargaarka u baahan, in marka reerku muraad leeyahay oo xoolo la qalo ay masaakiinta ku bilaabi jirtay cunto siinta, halka guryaha kale qaarkood dadka wax haysta marka ay cuntada cunaan oo baxaan, hambada la siiyo masaakiinta oo wali baahan. Waana halka looga maahmaahay "Soomaalidu ninkii quraac haystay qado ugu daraan".

Baaritaanno iyo bukaan socosho kaddib waxaa la isla gartay in Hooyo Xaawo lagu qalo cisbitaal Digfeer oo waqtigaas loo arkayay wad mooyee in uusan wataatacow lahayn qofka lagu dabiibo.

Allaha u naxariisto una dambi dhaafo Jannadana ka waraabiyo Hooyo Xaawo, marka uu curadkeedii sagaal jirsaday oo sannadku ahaa 1971dii, ayay tii Alle u timid. Wixii wanaagsanba wed baa leh ayay Soomaalidu tiraahdaa.

Marka uu waalidku baxo, waxaa jira xusuuso gooni ah oo uu reebo iyo uur ku taallooyin sabanno badan sii jira. Dhallaanka uu ka tago si fudud kuma illoobaan, waxaana habeen iyo maalin horyimaada waqtigu xusuus lahaa oo isaga si gooni ah sidii filimaantii ugu shidan.

Haddaba ubadka ayaamahaas murugada leh soo mareen waxaa ka mid ahaa mudane Maxamed Cali (Ameeriko) oo ah danjiraha aan sadarradaan ka qorayno ee bal ha inooga warramo.

Sida xaaladdu ahayd iyo daqiiqadihii Hooyo Xaawo ugu dambaysay, Maxamed Cali wuxuu yiri: "Subax barqadii ayay hooyaday carruurta wiilkii ugu yaraa, Cabdullahi, oo ay markaas xambaarsanayd ii dhiibtay, iyo Maxamud. Waxayna igu tiri; 'hooyo ilmaha hay, cabitaankaan iyo buskudkaanna sii, anna waxaan aadayaa cisbitaalka oo laygu soo daawaynayaa, waana soo labanayaa mar dhow insha Allah'. Waxay ahayd maalin khamiis ah, sida hooyo iigala ballantay carruurtii ayaan sameeyay. Soomaaliya maalmaha khamiista iyo Jimcaha waa fasax, dugsi Qur'aan iyo iskuul mid na ma furna, halka waddamada qaarkood sabtida iyo axadda goobaha waxbarashadu xiran yihiin.

Aniga iyo labadii ilmood ee iga yaryareyd oo subixii dambe oo maalin Jimca ahayd soo toosnay ayaa waxaa noo yimid qaraabo iyo dadkii dariska ahaa, madaxay noo salsalaaxeen, iyaga oo qaarkood ilmaynaya. Aad ayaan u shakiyey oo waxaan is iri ma hooyadaa ayaa dhimatay, haddana isla markii ayaan is iri; waxaasi ma dhici karaan, hooyadaana ma dhiman ee cisbitaalkii ayay jirtaa, mar dhowna way ka imaanaysaa. Hase ahaatee markii ay abootaday, hiindo Faay Cali (AUN), abtigay iyo aabbahay yimaadeen oo runta noo sheegeen ayaan xaqiiqsaday inaanan hooyaday dib u arkayn oo ay geeriyootay. Waxay noo sheegeen inaan hooyo qalitaankii ay gashay ka soo naaxin, sidaasna ay ku dhimatay, haddana la diyaarinayo aaskeedii".

Aabe ayaa igu yiri: "Hooyo galabtaa lagu aasayaa qabuuraha Yaaqshiid ee wax ma ka soo dugaysaa hooyo.", anigoo ilmaynaayo ayaan iri: "Aabo idiinma raaci karo duugta hooyo."

Qoyskii labaad ee Aabbe Cali (Ameeriko)

Markii Hooyo Xaawo Muudey Gacal geeriyootay (AUN), carruurtii iyo qoyskiiba waxay ku soo dhaceen rajonimo, taasina waxay keentay in Aabe Cali (Ameeriko) ka fekero sidii uu qoys kale u yagleeli lahaa. Labo sano ayuu ahaa raadco, sidoo kale carruurtii rajada noqotayna ay gacantiisa ku soo dhaceen, uuna u ahaa Hooyo iyo Aabe. Sanadku markuu ahaa 1973dii ayaa Aabe mar kale waxaa uu calaf ku yeeshay inuu guursado Hooyo Catiiqa Maxamed Yaxye, oo ku noolayd magaalada Baydhabo.

Halkaasna waxaa qoyskii kaga baxay sanaddo rajonimo ahaa, Hooyo Catiiqa waxay noqotay hooyadii la mahdiyey oo kaalinta weyn ka qaadatay korriimadii carruurtii rajada ahayd, danjire Maxamed Cali (Ameeriko) oo ka hadlaya hooyo Catiiqa wuxuu yiri;

Danjire

"Labo sano oo rajonimo ah, waxay nagu ahayd dhibaato, maalintii hooyo Catiiqa ay guriga timid waxaan dareenay farxad, waxaan helnay dareenkii naxariiseed ee hooyaday wakhtigii ay noolayd aan heli jirnay, waxayna ahayd hooyo carruurta u naxariis badan, dul qaad leh, markasta dhinaca wanaagsan noo jihaysa, qoyskiina isku waday".

Hooyo Catiiqa waxay dhashay laba wiil iyo gabar oo kala ah: Cabdiqani, Cabdifataax iyo Safiya.

Xilligii 1960–91kii, Aabbe Cali Nuur (Ameeriko) wuxuu lahaa makhaayado: mid ka mid ah waxay ku taallay magaalada bartameheeda, gaar ahaan agagaarka hotel Shabeelle, waxaana la dhihi jirey "Baar Tanzaaniya". Makhaayadda labaad waxay ku talaay agagaarka warshaddii baastada ee u dhawayd ex kantarool Balcad, ee xaafadda Huriwaa, waxaana la dhihi jirey Baar Jungal ama Baar Aqab. Makhaayadda saddexaad waxay ku taaley xeebta Liido, waxaana la dhihi jiray Baar Cali (Ameeriko).

Xilligaas Baar Aqab ayaa ku taalay magaalada banaankeeda, waxaana nasiino iyo raashin macaan loo doonan jirey xilliyada qadada iyo cashada barisamaadkii. Waa wakhti in waraabe ama habar dugaag ma ahane aadan ka baqayn in qof wax ku yeelo, nabadda iyo is aaminka u dhexeeyey bulshada Soomaaliyeed darteed. Makhaayadda waxa lagu iibin jirey hilibka dhaylada ah, bariis, baastada iyo caano geel oo ay caan ku ahayd. Fanaaniinta hobolada Waaberi ayaa soo aadi jirtay Baar aqab, waxayna halkaas la imaan jireen kabanka oo ay heesaha ku curin jireen, dadkana ay aad u jeclaayeen.

Baar Aqab wuxuu fannaaniinta u ahaa goob ay ku curin jireen fankooda, mulkiilaha makhaayadda Allaha u naxariistee Aabbe Cali (Ameeriko) aad ayuu u caawini jirey hooballada, iyaga oo aan maqaayadda laga qaadi jirin wax lacag ah. Fannaanka caanka ah ee Axmed Ismaaciil Xudeydi (AUN) oo arrintaas ka sheekeynaya ayaa yiri: "Cali (Ameeriko) wuxuu ahaa qof jecel caawinta fannaaniinta Soomaaliyeed, wuxuu noo ogolaaday inaan makhaayaddiisa ku allifno, ku duubno heesaha waddanniga, kuwa hanuuninta dadweynaha iyo kuwa jecaylka ahba, wuxuu ahaa aabe hooballada Soomaaliyeed isku halleeyaan hiil iyo hooba. Mararka qaar culays ama dan gaara ay ku timaaddo fannaan, wuxuu ahaa qof maskaxda fannaaniinta oo dhan ku soo dhici jirey".

Danjire Maxamed Cali wuxuu sheegay inuu yaraantiisii aad u xasuusto fanaaniin badan oo iman jiray Baar Aqab, ayna ka mid ahaayeen:

Axmed Ismaaciil Xudaydi (AUN)

Axmed Mooge (AUN)

Faadumo Qaasin Hilowle (AUN)

Maxamed Axmed Kuluc (AUN)

Maxamed Mooge (AUN)

Muuse Ismaaciil Qalinle (AUN)

Xaliimo Khaliif Magool (AUN)

Xasan Aadan Samatar

Marar badan ayey heeso ku tumi jireen makhaayadda, oo dadka madadaalin jireen, Aabo Cali Nuur (Ameeriko) aad ayuu u jeclaa fanka, wuu caawini jiray fanaaniinta, siina jiray goob iyo wixii kale ee adeegyo ah ee ay uga baahdaan.

Adeer Axmed Ismaciil Xudaydi oo isagoo 90 sano da'diisa ka wayneyd, Allaha u naxaristee, ayaa danjire Maxamed Cali (Ameeriko) marar badan ku soo booqday gurigiisa ku yaalay magaalada London ee waddanka Ingiriiska.

Danjire Cali (Ameeriko) ayaa yiri: "Markaan guriga ugu tago adeer Xudaydi(AUN), isagoo da' ah, ayuu markaan isa salaamo kaddib intuu istaago oo jikada(kushiinka) galo, ayuu ii soo samayn jiray kafee esbareeso (café espresso), isagoo igu dhihi jiray: Saaxiibkay, Aabahaa Cali Nuur Ameeriko(AUN) ayaa markastoon booqdo gacantiisa iigu adeegi jiray, marka annigoo taas bedelkeed gudaaya, ayaan haddana go'aansaday inaan adigana markastood ii timaaddo inaan kuu adeego".

Fanku waa qayb muhiim ah kana mid ah dhaqanka iyo hal abuurka Soomaaliyeed, waa goobta lagu samata bixiyo barbaarinta afka iyo wacyi gelinta dadka.

Barbaaristii Maxamed Cali Nuur (Ameeriko)

1962dii bishii Oktoobar 12keedii, ayuu Maxamed Cali Nuur (Ameeriko) ku dhashay cisbitaal Rabo oo ku yaalay degmada Boondheere, Muqdisho. Cisbitaalkaas oo markii dambe laga dhigay xarun wasaaradda caafimaadku ku shaqayso. Dugsiga hoose wuxuu ka dhigtay isla magaaladii uu ku dhashay ee Muqdisho, dugsiga Yaasiin Cismaan oo xilligaas lagu magacaabi jirey (Scuola Gugliermo Marconi).

Dugsiga dhexe wuxuu ka bilaabay dugsiga Sakhaawadiin oo isna markaas la oran jirey (Scuola Fillipino).

Maxamed Cali (Ameeriko) wuxuu dugsiga sare kaga baxay dugsigii sare ee Boostada iyo Isgaarsiinta oo ku yaalay xaafadda Maanaboliyo ee degmada Shibis.

Aabe Ali Ameeriko (AUN) wuxuu ahaa nin korinta ilmaha ka sokow aad ugu dadaala mustaqbalka ubadkiisa, isaga oo ku fakari jirey inuu soo saaro, awlaad dadka iyo dalka wax ku soo kordhisa. Sababtuu curadkiisa u geeyey dugsigaan waxaa nooga sheegaynaya Danjire Maxamed Cali (Ameeriko) oo ah shakhsiga buuggaani ka hadlayo.

Wuxuu yiri: "Dhallinyaro badan oo aan isku da' iyo saaxiibo ahayn ayaa waxbarashadoodii dugsiga sare aaday dugsiyadii sare ee af Talyaaniga lagu dhigi jirey, hase yeeshee Aabbahay wuxuu igu qanciyey maadaama aan afka Talyaaniga ku soo bartay dugsiyada hoose iyo dhexe, inay wanaagsan tahay inaan dugsiga sare wax ku barto lugadda Ingiriiska, oo xilligaas dugsiga sare ee Boostada iyo Isgaarsiinta afka Ingiriisiga lagu baran jirey, ayna macallimiin ka ahaayeen baraayaal Soomali iyo ajaanib ah oo ardayda wax ku bara afka Ingiriisiga."

Maxamed Cali (Ameeriko) wuxuu aad ugu wanaagsanaa maadada xisaabta, oo sumad u ah heerka maskaxda aadanaha. Dhammaan dugsiyadii uu galay wuxuu meel sare ka soo wada galay maadadaas, iyada oo macallimiintii xisaabta ka dhigi jirtay dugsiyadii kala duwanaa ee uu soo dhigtay ay wada qireen fahamkiisa xeesha dheer iyo xifdiga rabbaaniga ah ee Eebbe uu u siiyey maadadaas.

Maxamed Cali (Ameeriko) yaraantiisii wuxuu ahaa nin la odorosi karo, in uu mustaqbalka dhow noqon doono hal doorka bulshada. Waxyaabaha sida goonida ah kuu tusaya arrintaas waxaa ka mid ahaa:

Wuxuu mar walba jeclaa inuu ogaado hab nololeedka dadka, isaga oo yaraantiisiiba bilaabay inuu booqdo tuulooyinka iyo magaalooyinka yar yar ee ku xeeran magaalada Muqdisho. Xilliyada dugsiyadu xiran yihiin wuxuu aadi jirey goboladda, taas oo markii uu weynaaday u ogolaatay inuu ogaado wax badan oo aysan aqoon ama ogayn dadka isaga la da'da ah. Magaalooyinkii isagoo yar uu joogtada u tagi jirey waxaa ka mid ahaa; Balcad, Jowhar, Afgooye, Shalaambood, Marka iyo Baydhabo.

Dhanka kale Maxamed Cali Nuur isaga oo yar ayay labadiisii waalid ku dareen dugsi quraan uu hayn jirey Eebbe ha u naxariistee Macallin Abuukar, ee ku yaalay xaafadda Hawlwadaag. Waxaad mooddaa inuu aabbihi rumaysnaa sheekadii Soomaalida ee qiimaha lahayd ee ahayd;

Qur'aan waxaa lagu bartaa:

a. *Macallin qaari ah*

b. *Arday qaylo dheer*

c. *Hooyo dhiiri gelin badan iyo*

Danjire

d. *Aabbe wax quur leh*

Dadaalka ay waalidkiis u galeen Maxamed Cali (Ameeriko) waxaa tusaale fiican u ahaa inuu imtixaanaadka iskuulkiisa ka geli jiray kaalin wanaagsan. Mar ayuu mid ka mid ah imtixaanaadkii dugsiga dhexe ka galay kaalinta saddexaad, markaas ayaa Aabe Cali Ameriko (AUN) oo dhiirigeraayo ku yiri: "Kaalin wanaagsan baad ka gashay natiijada imtixaanka laakiin uma qalantid lambarka kowaad wax aan ahayn ee dadaal, ee mar walbo hiigso meel sare". Taas oo mar danjiraha la waraystay isaga oo weyn uu sheegay inay ku dhiirrisay inuusan marna ku qancin wax aan nambarka kowaad ahayn, ilaa iyo haddana wuu jecelyahay wax kasta oo uu qabto inuu gaarsiiyo halka ugu sarraysa ee suuragal ah.

Maxamed Cali (Ameeriko) yaraantiisii wuxuu jeclaa cayaaraha, isaga oo kooxaha gudaha wadanka ka jiray ka taageeri jirey ilaa haddana taageero kooxda Horseed. Danjiraha oo arrintaas ka sheekaynaya ayaa yiri: "Waxaan wali maskaxdayda ka go'in kooxihii ciyaaraha gobollada u dheeli jirey oo marka ay yimaadaan Xamar ay ciyaaraha ka qayb galayaan la gayn jiray guryaha qaarkood ee xaafadaha Muqdisho si ay ugu noolaadaan intay ciyaaraha socdaan.

Waxaan si gooni ah u xusuustaa cayaartooygii Xasan Cafiif, oo gobolka Kismaayo u ciyaari jirey kubbada cagta, ayaa gurigeena la soo dejiyay oo nala joogay intay ciyaaraha gobolladu socdeen oo dhan.

Xasan Cafiif markii dambe wuxuu ka mid noqday cayaartoyda kooxda kubadda cagta ee Horseed iyo xulka qaranka Soomaaliya".

Maxamed Cali Nuur (Ameeriko) yaraantiisii wuxuu ahaa nin firfircoon, howl kar ah, aabbihina aad ayuu u jeclaa. Waxaa tusaale fiican ahaa sheeko uu ka sheekeeyey oo sidaan u dhacday: "Waxaa magaalada Muqdishu yimid koox kubbada cagta kana socotay waddanka Baraasiil. Waxay la ciyaarayeen koox kubbada cagta oo xilligaas ka dhisnayd waddankeena. Maalintii ay ciyaartu dhacaysay ayaa aabbahay (AUN) i geeyey garoonka kubbada cagta ee istaadiyo Koonis, garoonkii ayaa naga buuxsamay.

Dad badan ayaa isku buurtay oo isku ciriiriyay shabaqii ku wareegsanaa garoonka, iyaga oo isku dayaaya inay si uun ciyaarta ugu daawadaan. Anigu aad ayaan u yaraa, dadkii ayaa i riixay oo dhulka igu riday. Waxaa yimid boolis saarnaa fardo oo la dhihi jirey fardooley, anigii oo dhulka yaallo ayay i soo gaareen booliiskii fardaha saarnaa. Hase yeeshee aabe ayaa dhabarkayga isku kala bixiyey si uu iiga ilaaliyo qoobabka xoogga badan ee fardaha ay boolisku wataan, Allaha u naxariisto aabe".

Aabe Cali Nuur Xuseen (Ameeriko) Allaha u naxariisto.

Danjire

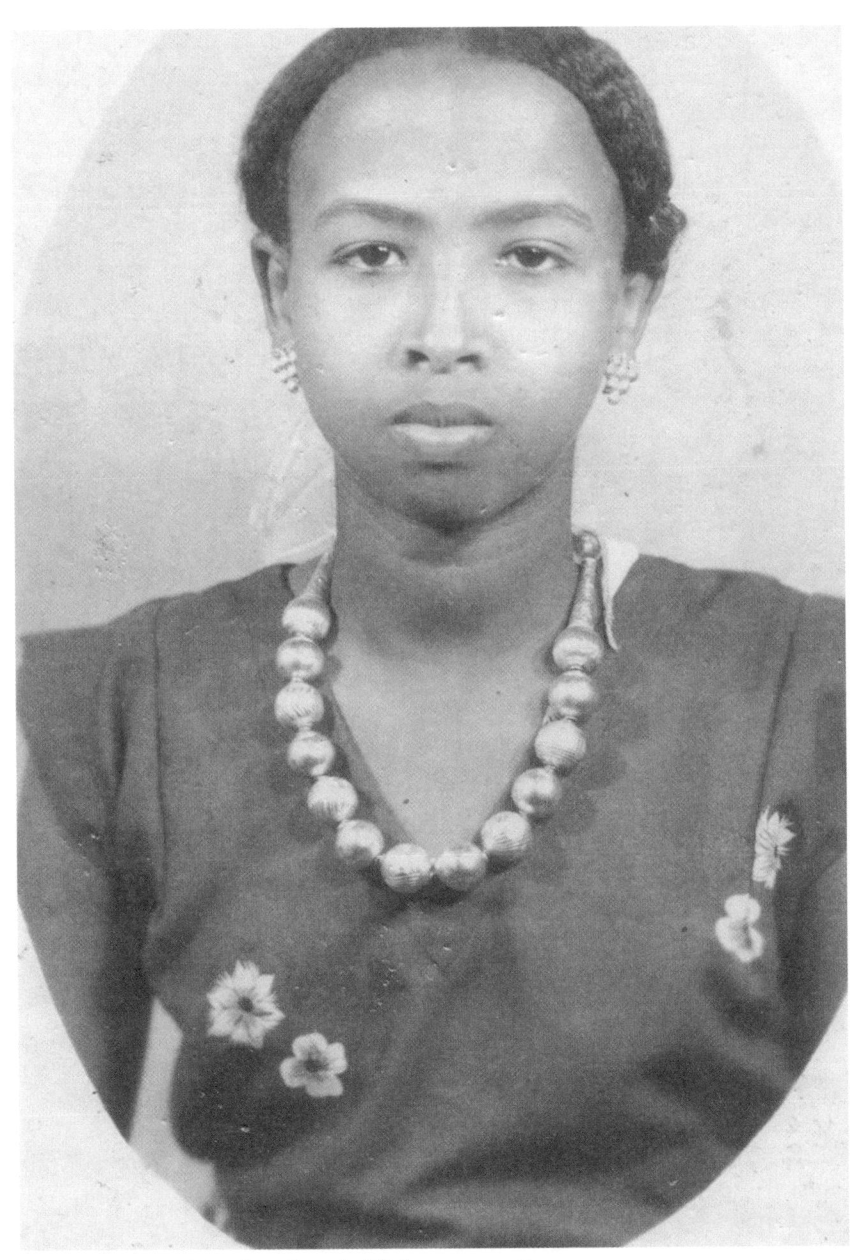

Hooyo Xaawo Muudey Gacal, Allaha u naxariisto.

Danjire

Hooyo Xaawo Muudey Gacal iyo Aabe Cali Nuur Xuseen (Ameeriko), Allaha u naxariisto labadoodaba.

Danjire

Maxamed, Aabe Cali (AUN), Maxamud iyo Cabdullahi, Muqdisho, 1974.

Danjire

Waa danjiraha (safka 3aad qofka 2aad dhanka bidixda) iyo ardayda ay isku iskuulka ahaayeen iyo macalimadooda, Signora Banza Bruna oo jooga dugsiga hoose ee Gugliermo Marconi oo marki dambe loo bixiyay dugsiga Yaasin Cusman, Muqdisho, 1971.

Danjire

Cabdiqani, Hooyo Catiiqa Maxamed Yaxye, Cabdifataax iyo Safiya, Muqdisho, 1988.

CUTUBKA
3

CUTUBKA 3

SAFARKII MARAYKANKA EE JAAMACADA

Safarkii Maraykanka ee Jaamacada

1980[kii] Maxamed Cali Nuur (Ameeriko) oo 18 jir ah ayuu waxbarasho u aaday waddanka Maraykanka, isagoo arrintaas ka hadlaayo ayuu yiri: "Aniga ayaa Aabe (AUN) ka codsaday inaan waxbarasho jaamacadeed u aado waddanka Maraykanka, aabahayna wuu iga aqbalay, kaddibna magaala madaxda Maraykanka ee Washington DC ayaan u safray. Waxaan ku dagay oo aan deganaa muddo guriga adeer Xasan Cumar iyo eedo Aamino labaddodaba Allah u naxariisto iyo caruurtooda, waxaay ii ahaayeen aabe iyo hooyo oo caruurtooda aan ula mid ahaa.

Waxay ahaayeen waalid kaalmeeya dhalinyarada Soomaliyeed oo waxbarashadda u soo aada waddanka Maraykanka gaar ahaan Washington DC iyo magaalooyinka u dhow, iyagoo gurigooda dejin jiray, raashina siin jiray, wax lacag ahna aan ka qaadi jirin ardada. Waxaan xasuustaa 1982dii adeer Xasan oo garoonka diyaaradaha ee Washington DC qof geeyay, ayuu arkay wiil dhallinyaro ah oo Soomaliya ka yimid oo garoonka dibediisa fadhiya, muddana safar soo ahaa.

Markuu wareeystay ayaa wiilki ku yiri: "wiil aan ilmo adeer nahay ayaa iga ballan qaaday inuu garoonka iigu yimaado, haddana waa la'ahay oo saacado badan ayaan sugaayay, qof kalena waddanka Maraykanka kama aqaan". Adeer Xasan ayaa wiilkii dhallinyarada ahaa soo kaxeeyay, oo gurigiisa keenay kuna yiri annagaa nala degaysaa intaad ka helaysid ina adeerkaa. Wiilkaas muddo sannad ka badan ayuu deganaa guriga, adeer Xasan iyo eedo Aamino way ka diideen inuu lacag bixiyo, waalid naxariis badan ayay ahaayeen, Allah u naxariisto.

Waxaa ii suurto gashay inaan garoonka diyaaradaha ee Aadan Cadde, Muqdisho ku soo dhoweeyo 2018kii adeer Xasan iyo eedo Aamino oo aan abaalkooda gudi karin. Allah u naxarariiso labadooduba, jannada ka waraabiyo, dembigoodana Allaha ka cafiyo."

Danjire

Maxamed Cali Nuur (Ameeriko) markuu tagay waddanka Maraykanka wuxuu bilaabay inuu barto culuumta kumbuyuuterka, taas oo uu dhiganayay laba sano. Kaddib wuxuu u wareegay culuumta dhaqaalaha oo uu dhammeeyey sannadii 1985tii. Maxamed markii uu Maraykanka tagay wuxuu isku dayay inuu noloshiisa dabaro, oo uusan aabihiis culays dambe saarin.

Wuxuu shaqadii ugu horreysay ka bilaabay maqaayad Washington DC ku taalla lana yiraahdo "*McDonald*" oo lagu karin jiray cuntada fudud (fast food), kaddibna shaqooyin kala duwan ayuu ka shaqeeyey, isaga oo halkaas ka soo saaran jirey biilkiisa, isaga oo aabbihi ku xil tiray wax masruuf ah, marka laga reebo mar mar jaamacadda lacagteeda uu dhammaystiri waayo.

Danjire Maxamed Cali intii uu joogay magaalada Washington DC, waxyaabo kala duwan ayuu kala kulmay, waxaase xusid mudan qiso dhex martay isaga, saaxiibkiis Ibrahim Xuseen Maalin (AUN) iyo arday ay wada dhigan jireen jaamacadda. Danjiraha oo sheekadaas ka hadlaayo wuxuu yiri: "Maalin ayaa aniga, saaxiibkay iyo arday Maraykan ah oo nala dhiganayey jaamacadda, ayaa anagoo fadhina maqaayad oo kor u sheekaysanaya, ayaa waxaa dhinaceena soo fariistay nin caddaan ah. Saaxiibkay oo noo sheekaynaya ayaa yiri: "Aabahay ayaa Muqdisho iga soo wacay oo telefoon ii soo diray…". Intuu nagu soo dhawaaday ayuu ninkii cadanka ahaa yiri: "oo Afrika ma telefoon bay leedahay!?" Oo waliba ku sii daray, yirina: "xogta ama fariimaha soo durbaan isuguma gudbisaan?" Aad baan u xanaaqnay, balse arrintu waxay ka sii dartay markuu yiri: "waxaan maqlay inaadan baabuur lahayn oo xargo dhirta dushooda ku xirxiran aad ku kala gudubtaan, sidii Tarzan!" Waxaan ku niri: "Filimada Tarzan ayaad aad u daawataa, Afrika iyo waddankeenaba waa leenahay telefon, baabur iyo wax kastoo laga helo Maraykanka."

Danjire Maxamed Cali (Ameeriko) waqtiyada jaamacaddaha xiran yihiin oo fasaxa ah wuxuu aadi jirey dalkiisii hooyo, si aqoonta uu bartay uu dalkiisa ugu celiyo, dhanka kalena uu dhaqankiisa iyo dadkiisa sii barto.

Mudane Maxamed Cali (Ameeriko), intii uu waxbarashada ku jirey, wuxuu isla magaalada Washington DC ka bilaabay shaqo waardiyenimo ah (security guard). Danjiraha oo ka hadalaayo shaqadaas ayaa yiri: “Marka aad ka shaqaysaynayso shaqooyinka noocaan ah, waa kuwo kuu sahlaayo inaad adigoo ku jiro shaqada wax akhristan karto.

Waxaan si gooniya ugu bartay shaqadii aan xilligii jaamacadda ku dhinac watay, in naftaada marka hore la badbaadiyo, kaddibna ay sahlan tahay inaad inta kale badbaadiso”.

Danjire Maxamed Cali Nuur (Ameeriko) shaqooyinkii kala duwanaa ee uu jaamacaddiisa ku dhinac waday, waxay bareen in uu isku fillaado, markuu dhameeyay jaamacadda wuxuu ka soo shaqeeyay Riggs bank oo ku yaalay magaalada Washington DC.

Waa danjiraha oo ay weheliyaan, Jibriil Xasan Cumar, Cabdulqadir Qanjey iyo Ibraahim Xuseen Maalin (Allaha u naxariistee), Washington DC 1980kii.

Danjire

Waa danjiraha oo arday ah, oo ku dhex lugaynaya dhismaha Jaamacadda Montgomery College, Maryland, USA, 1980kii.

Waa danjiraha iyo saaxiibkiis Suleymaan Axmed Salxaan "Aaxow" oo jaamacadda Montgomery College dhexdeeda jooga, 1981kii.

Danjire

Waa danjiraha oo jaamacaddiisa ka qaatay shahaadada, 1985tii.

Danjiraha oo la sawiran Aabe Cali (AUN) iyo saaxiibki Sulaymaan Axmed Salxaan (Aaxow) 1983dii. Goobtu waa Mogadishu, guriga reer Cali Ameeriko ee Hawlwadaag.

CUTUBKA 4

KU SOO NOQOSHADII MAXAMED CALI (AMEERIKO) EE SOOMAALIYA

Danjire

Ku soo noqoshadii Maxamed Cali (Ameeriko) ee Soomaaliya

1986dii isaga oo fulinaya dardaarankii aabbihi ayuu Danjire Maxamed Cali (Ameeriko) ku soo laabtay Soomaaliya. Maxamed isaga oo arrintaas ka sheekaynaya ayuu yiri: "Markii aan jaamacadda dhammeeyey 1985tii, waxaan la socday waxa Soomaaliya ka socday, waad garan kartaa waddanku siduu ahaa wixii ka dambeeyey 1978kii. Qaar ka mid ah dhallinyaradii aan jaamacadaha isla dhiganaynay markii ay waxbarashada dhammeeyeen waxay dib isugu sii dhajiyeen waddamadii ay joogeen, qaar kale oo aan aniga ku jirana sidaas ma yeelin oo waddankeeni ayaan dib ugu laabanay.

Habeen iyo maalin waxaa dhagahayga ku soo dhacayay erayo qiiro lahaa oo aabbahay igu yiri markii uu i soo sagoontinaayay 1980kii. Wuxuu igu yiri: "Aabbe dugsigaaga hoose ilaa kii sare waxaad ku dhigatay canshuurtii dadka laga soo aruurshay. Adigu dibadda ayaad waxbarasho u aaddaysaa, oo wax soo baranaysaa, markaad jaamacadda soo dhamayso dalkaaga dib ugu soo laabo oo waddankada iyo ummadaada ugu faa'iidee oo canshuurta dadka ee aad wax ku soo baratay aad ku celisaa dadka iyo dalka."

Danjire Maxamed Cali wuxuu mar walba xusuusnaa in dadkiisa iyo dalkiisa u baahan yihiin, wuxuu yiri: "Waxaan aaminsanahay in aqoonta, xoogga, aragtida fog ee igu jirta iyo ilbaxnimadayda aan uga faa'iidayn karo dad badan oo Soomaali ah gaar ahaanna da'yarta oo ah hogaamiyaasheena berrito".

Waxaa laga yaabaa akhristayaal badan oo dhallinyara ahi, inaysan fahmin ama ay la adkaato in Soomaaliya 1990kii iyo ka hor ba waxbarasho bilaash ah lahayd ama ay lacag la'aan lahayd, masuuliyadda kaliya ee waalidka saarnaydna ay ahayd inay awlaaddooda goobaha waxbarashada u diraan.

Danjire

Maxamed Cali Nuur (Ameeriko) iyo Shaqadiisii 1^{aad}

Mudane Maxamed Cali Nuur (Ameeriko) markuu waddanka ku soo laabtay muddo yar kaddib wuxuu shaqo ka helay bankigii dhexe ee Soomaaliya, kana shaqo bilaabay qaybta xisaabaha guud ee bankiga dhexe. Maxamed intii uu bankiga ka shaqaynaayay wuxuu soo kordhiyey xirfado badan iyo horumarin uu ku sameeyay dhinaca loogu shaqeeyo kombuuterada oo xilligaas bankiyada iyo xafiisyada addunka isticmaalkooda laga bilaabay. Xisaab hufnaan iyo waliba in uu qaybtii uu ka shaqaynayay ka dhigo mid ku dayasho mudan. Dhawr arrimood oo isbiirsaday waxay siinayeen fursad uu shaqa muuqato ku qabto: -

1. Aqoontii xeesha dheereyd ee uu u lahaa shaqadaan, intii uu waxbarashada ku jirey, oo uu meelo kala duwan kaga shaqeeyey. Waxaa in la xuso mudan, in uu shaqaalihii bangiga bari jirey kumbuutarka casriga ah iyo sida loogu shaqeeyo.

2. Awooddii dhallinyaranimo ee uu lahaa ayaa waxay ka dhigtay inuu shaqooyin badan isku qabto.

3. Dardaarinkii aabihiis ee ahaa: *canshuurta dadka ee aad wax ku baratay, waa inaad ku celisaa dadka iyo dalka.*

4. Waddanka uu wax ku soo bartay ee Maraykanka ahaa oo uu fursad u helay inuu wixii uu soo barto ku shaqaysto intuusan waddankisa ku soo laaban. *Dariskaa caddaan iyo madow waxaan ahaynba wuu ku gashaa.*

Danjire Maxamed Cali Nuur (Ameeriko) mar la waydiiyey sidii xilligaas uu ahaa maamulkii bangiga dhexe ee Soomaaliya, wuxuu yiri: "Qof maanta jooga ma rumaysan karo sida xaalku ahaa. Waxaa laga yaabaa dadka hadda waddamada horumaray tagay inay u maleeyaan in aynaan innagu waligeen nidaam maamul oo wanaagsan yeelan, hase yeeshee arrintu sidaas ma ahayn. Bangiga dhexe wuxuu lahaa maamul, waxaana joogay xirfad layaal aadan qiyaasi karin aqoontooda, khibradooda iyo tababarka ay qabaan.

Waqtigaas dadku waxay na oran jireen dowladda ayaad daacad u tihiin, balse anigu waxaas ma aaminsanayn. Waxaan isu arkaynay inaan bulshadayda shaqo u hayo, taasna waxaa gacan weyn igu siinayay dardaarankii aabahay ee uu habeen iyo maalin ba igu dhihi jirey *"dadkaaga iyo dalkaaga u shaqee"*.

Mar la waydiiyey Maxamed Cali in uu wax hanti ah ka samaystay bangigii dhexe, mudadii halkaas uu ka shaqaynayey, wuxuu ku jawaabay: "Ma waxaad i moodeen kooxdii uu abwaan ku sheegay inaan ka mid ahay? Maya, waligay waxaan mushaarkayga ahayn kama qaadan, kumana fekerin inaan wax xado, waalidkay (AUN) waxyaabihii ay igala dardaarmeen ayay ka mid ahayd inaan ku fekerin xatooyo xoolo dadweyne."

Haddaba bal aan eegno tuducyo ka mid ah gabaygaas oo uu tiriyey Abwaan Xaaji Aadan Afqallooc (AUN): -

Jaamacad nin tegayoo digrii tuu la yimid haysta
Oo inuu dalkii wax tariyo tacabbo doonaaya
Oo taana loo baahan yahay toogtan sida joogta
Oo jaahil tigin adag dhidbaday taqaddumkuu diiday
Oo reerkii tegi waayayoo camal la'aan taagan
Iyana waa tabaalaha waqtiga taynu aragnaaye
Tu kaloo ka darana baa jirtee taana bal an sheego

Taangiga biyaha loo dhisaye riigga lagu taagey
Oo shicibka oo oon la tuuban toonta lagu beerto
Iyo waxa tigaad nooga baxa toonka agihiisa
Tuna uma oggola madaxdu nimaan tab ku hayn shuqule
Tuugo iyo iib buu ninkii tegey ku daaqaaye
Iyana waa tabaalaha waqtiga taynu aragnaaye

Danjire

Tu kaloo kadaran baa jirtee taana bal an sheego

Ninkii tahan adduun soo rogiyo kii ka tirinaayey
Oo toban kunoo habeen tuhun la'aan qaaday
Oo laysu tebiyaan cashuur buuggi lagu taaban
Oo aan dhaqaalaha tixgelin waajibkana tuuray
Iyana waa tabaalaha waqtiga taynu aragnaaye
Tu kaloo ka daran baa jirtee taana bal an sheego

Kuwa talada maamulahayoo taa nahyiyi waayey
Oo aan mujtamacii tusayn tii uu ku hagaago
Oo tooda keliyuun wato tarandacoo seexday
Oo waxa islaannimadu tahay taababka u gooyey

Maxamed Cali (Ameeriko) iyo Cabdullaahi Maxamed Nuur oo bangiga dhexe ee Soomaaliya ka shaqaynaya, 1987.

CUTUBKA
5

CUTUBKA 5

MAXAMED CALI (AMEERIKO) IYO QOYSKIISA

Danjire

Maxamed Cali (Ameeriko) iyo qoyskiisa

1987kii ayuu Mudane Maxamed Cali (Ameeriko) magaalada Muqdisho ku guursaday, isaga iyo xaaskiisii wuxuu Alle siiyey laba wiil iyo hal gabar. Waxaayna u kala bixiyeen: -

Jibril, Axmed iyo Yaasmiin.

Mar la waydiiyey Maxamed Cali Nuur (Ameeriko), adduunka wixii ugu farxad badnaa ee soo mara, ayuu sheegay inay ahayd markii uu ifka nabad ku yimid curadkiisii.

Haddii odaygu baxo doqon baa oyda waligeede

Awrtiyo waxaa laga dhacaa ariga xaynka ah

Is ilaali wacadkii Allaad rag is arkaysane

Danjire Maxamed Cali (Ameeriko), markii ay burburtay dawladdii dhexe ee Soomaaliya, Muqdishana ay ka dhalatay dawladdii ku meel gaarka ahayd oo uu madaxweynaha ka ahaa Mudane Cali Mahdi Maxamed, waxaa looga maarmi waayey shaqadii bankiga dhexe.

Xilligii uu danjire Maxamed joogay bangiga wuxuu la kulmay qiso naxdin leh. Waxayna arrintaasi cibro u tahay burburka iyo waxa laga dhaxlo. Sida dowlad la'aantu u saamayso qofkasta oo shacabka ka mid ah. Sida marka dal burburo ay dadkoodu u fekaraan. Nidaamka qabiilku inuusan qofna ilaalin karin iyo in midka dad kuu xiga adiga kugu soo jeesanaayo, marka uu waayo sharci iyo kala dambayn.

Danjire Maxamed Cali (Ameeriko) isaga oo dhacdadaas naxdinta leh ka sheekaynaya wuxuu yiri: "Markii dagaalkii 1991dii bilowday ayaan ka soo guurnay xaafaddii aan deganayn ee Tawfiiq, degmada Yaaqshiid, waxaanna u guurnay xaafadda Heliwaa oo aabahay (AUN) iyo reerkeenna deganaayeen, maqaayadna aan ku lahayn. Si aan isaga warqabno maadaama aan aragnay in saan saan kale iyo dagaal sokeeye waddankii galay.

Markii dawladdii dhexe burburtay, magaalada maalmo yar guduhood ayaa qoryo uga soo buuxsameen, kaddib waxaa bilowday dagaal sokeeye oo hub waawayn laysku adeegsaday.

Dagaalkii markuu sii xoogaystay waxaan u soo guurnay guri ku yaalay degmada Cabdiaziiz una dhowaa Cisbitaal Lazareeti. Aniga waxay si toos ah ii soo gaartay dhibaatadu, markii maalin la ii sheegay in gurigeennii ay ciidan mooryaan ah soo weerareen. Maadaama aan reer dhaqaalaysan ahayn aabahayna lacag lagu tuhmayay ayaa dhallinyaro mooryaan ah oo hubaysan ay soo weerareen gurigeeni oo xilligaas ay joogeen aabe (AUN), walaalkay Cabdiqani, carrutayda Jibril, Axmed iyo Yaasmiin.

Markii la ii sheegay in gurigeenii la weeraray, waxaan u soo cararay guriga. Markaan guriga soo gaaray ayaan arkay niman hubaysan oo guriga geesaha ka taagan. Markii ay i arkeen oo aan is garannay ayay igu dheheen:" Waryaa Maxamed gurigiinii niman hubaysan ayaa weeraray, aabahaana waa la dhaawacay, annaguna waxaan halkaan u taaganahay inaan adeer Cali Ameeriko ka soo bixino guriga oo cisbitaal gayno." Dhammaantood waan wada garanayay. Iyagoo hadalka sii wato ayay yiraahdeen, iyagoo qoryo igu soo taagayo:" Maxamed kaalay oo halkaan soo istaag." Kaddib ayaan ogaaday inaay ka mid ahaayeen mooryaantii guriga weeraray.

Waxay rabeen inaan la soo istaago, si ay ii afduubtaan. Waxaan iskudayay inaan guriga galo balse hal mar ah ayay xabbad igu bilaabeen oo lugahayga agtooda ku rideen. Way i afduubteen oo gaari tekniko ah ayay igu riteen. Markaan dhex sii maraynay ayay dhexdooda ku murmeen, aan sii dayno iyo aan madax furasho ka qaadanno. Aad ayay isu khilaafeen. Mid iyaga ka mid ah oo aan is iri qamro ayuu soo cabbay oo indhuhu aad u guduudsanaayeen hadalkana dhibaayay, ayaa yiri: "Maxaad ninkaan ugu murmaysaan waaba dilayaa!" Hal mar ayuu inta qorigii koongaraystay xabadka iga saaray, qorigiina xabadda ka riday.

Waan ashahaatay, anigoo dhanna dhidid ayaa i qooyey, lugahaygiina waxay noqdeen baraf. Nasiib wanaag xabbadii ayaa ka kaddibtay oo dhici wayday. Ma uusan iigu talagalin inaan noolaado, hase yeeshee nolosha iyo geeridaba Allaah ayaa iska leh. Markii xabbadii kaddibtay oo dhici waysay, mooryaantii kale ayaa ku soo booday oo ninkii isku mar ku kor degay, qoriigiina ka qaaday.

Isla markiiba iyaga oo is haysta ayaa waxaa meesha soo maray taliyihii ciidanka dowladdii Madaxweyne Cali Mahdi Maxamed oo ciidan wata, mooryaantii way iga kala carareen, kaddibna taliyihii ayaa i soo qaaday oo i geeyay gurigeenii.

Dilkii Yaasmiin Maxamed Cali Nuur (Ameeriko)

Bal mar kale ha inooga sheekeeyo Aabaha Yaasmiin Maxamed Cali (Ameeriko) siday ku dhacday dilkii gabadhiisii Yaasmiin. Wuxuuna yiri: "Markii guriga la i keenay aniga oo mayd u eke ah, waxaa la ii sheegay akhbaar aan aad uga naxay. Waxay ii sheegeen in gabadhaydii Yaasmiin ay ku dhaawacantay rasaastii saaka gurigeenii lagu furey, ee ay ridayeen raggii aniga i afduubtay ee aan wada garanayay.

Jibriil, Axmed iyo Yaasmiin waxay ku cayaarayeen guriga bannaankiisa, marka ay xabbadu bilaabatay guriga ayay ku carareen, nasiib darrase Yaasmiin oo 18 bilood jir ahayd halkii ayaa xabbadihii arxan laawayaasha ku heleen.

Yaasmiin waxaan u qaadnay dhaaweceedii Cisbitaaka Kaysaney. Waa la isku dayay in la badbaadiyo, waana la ila dadaalay, laakiin kuma annaan guulaysan oo waqtigeedii ayaa intaas ku ekaa, saqiirkaasna raggaas baa sabab looga dhigay. Waxaan ogaa inaysan Yaasmiin waxba galabsan, ee ay aaday halkii Aalle ugu talagalay.

Markii waagii noo baryey ayaan soo aasnay. Waxaan aad uga murugoodaa markaan xusuusto su'aalihii ay i waydiin jireen labadii walaaleheed ahaa ee Jibriil iyo Axmed:" *Aabbe xaggee Yaasmiin gaysay? Ma na soo tusi kartaa? Aabbe xaggee baabuurkii guduudnaa Yaasmiin u saartay?".*

Markay Yaasmiin geeriyootay oo aan aasnay, qoyskii wuxuu u soo guuray wadanka Kenya, oo ay deganaayeen magaalooyinka Mombasa iyo Nairobi, kaddibna Maraykanka iyo Canada. Kaddib waxaa Danjire Maxamed Cali (Ameeriko) u dhashay afar gabdhood iyo laba wiil oo la kala yiraahdo: Safiya, Xasan, Samiira, Cabdulaahi, Zahra iyo Sihaam.

Aabe Cali (Ameeriko) ayaa December 2006kii xanuun qabtay, kaddibna cisbitaal ku yaal magaalada Toronto, oo la yiraahdo Saint Michael hospital, ayaa la geeyay si loogu daweeyo. Danjire Maxamed Cali (Ameeriko) ayaa si deg deg ah u aaday Toronto, markuu tagay Aabe tii Allaa u timid, wuxuu geeriyooday December 12, 2006. Aabe waxaa lagu duugay magaalada Toronto, aaskiisa waxaa ka soo qayb galay dad aad u badan oo u duceeyay. Allaha u naxariisto, u dembi dhaafo, jannadana ka waraabiyo Aabo.

Waa Aabe Cali (Ameeriko), Allaha u naxariisto, oo xambaarsan Jibril iyo Axmed Maxamed Cali (Ameeriko), Muqdihso, 1990.

Baabuurka guduudan; waa Toyoto Carolla uu safiir Maxamed wadan jirey sagaashameeyadii.

Aabe Cali (Ameeriko), Allaha u naxariisto,
iyo Maxamed Cali Ameeriko, Toronto, 2007.

Danjire

Danjiraha iyo carruurtiisa, Jibriil, Axmed, Safiya, Xasan, Samiira, Cabdulaahi, Zahra iyo Sihaam, Nairobi, 2014.

CUTUBKA

CUTUBKA 6

MAXAMED CALI (AMEERIKO) IYO DOWLADIHII UU LA SOO SHAQEEYAY

Danjire

Maxamed Cali (Ameeriko) iyo dowladihii uu la soo shaqeeyay

Markii waddanku burburey, lana kala qaxay oo dunida lagu kala baahay, Maxamed iyo reerkiisa waxay ka mid ahaayeen Soomaalidii magan galyada u aaday Waqooyiga Ameerika, gaar ahaanna Canada. Haddaba sannadka markuu ahaa 2004[tii] Maxamed Cali (Ameeriko) oo ku nool magaalada Toronto ee waddanka Canada ayaa waxaa waddanka dib uga dhalatay dowladdii ku meel gaarka ahayd oo Madaxweyne loo doortay Allaha u naxariistee Mudane Cabdullaahi Yuusuf Axmed.

Maxamed Cali (Ameeriko) aabihiis (AUN) oo ay si weyn isu yaqaanneen Madaxweyne Cabdullaahi Yusuf Ahmed (AUN), ayaa markii uu maqlay in uu dowlad la dhisay, dadkii Soomaalida ahaa ee la joogay u sheegay inay muuqato waddadii rajada Soomaaliya.

Safiirka oo arrintaas ka sheekaynaya ayaa yiri: "Aabahay (AUN) waxaa walwal badan ku hayay dowlad la'aantii Soomaaliya ka jirtay xilligaas. Wuxuu habeen iyo maalin dadka kala hadli jirey sidii dib loogu soo celin lahaa dowladnimadii iyo calankii Soomaaliya. Haddaba habeenkii doorashada uu Madaxweyne Cabdullaahi Yusuf Axmed (AUN) ku guuleystay ayaa aabahay telefoon ku wacay, oo si weyn ugu hambalyeeyey, wuxuuna ku biiriyey talo iyo tusaale, wixii uu islahaa waxbay ku tari karaan."

Maalmo yar kaddib, ayuu Madaxweyne Cabdulaahi Yuusuf Axmed (AUN) magacaabay Professor Cali Maxamed Geedi inuu noqdo Wasiirka Kowaad ama Raysal Wasaaraha dowladda ku meel gaarka ahayd, kaddibna ay xildhibanadii u codeeyeen, iyadoo Mudane Geeddi oo isna ay aabe (AUN) si wanaagsan isu yaqaanneen. Waxaase xusid mudan in markii aabe iyo aniga oo isla joogna aan wacnay Raysul Wasaare Geeddi oo uu telefoonkii aabe ka qabtay.

Si fiican ayay u sheekaysteen, anigana waxaan qayb ka noqday kulankaas telefoonka ka dhacay.

Markii aabe (AUN) iyo mudane Cali Maxamed Geeddi wada hadleen oo sida xaaladdu tahayna ay ka warrameen ayaa Mudane Geedi yiri: "Maxamedow waxaan rabaa in aan xaafiiskayga oo hadda si ku meel gaar ah ugu shaqayn doona Nayroobi dhiso, oo xoojiyo, adiguna waxaad ku jirtaa dadka aan aaminsanahay inay wax weyn igala qaban karaan xafiiska".

Wuxuu iga codsaday in aan Nayroobi imaado oo aan la shaqeeyo. Intii aanan jawaabinba ayaa Allaha u naxariistee Aabe yiri: "Dalka u shaqeeya, masuuliyadda la idin saarayna ma fududee ogaada, waliba maanta maalin dadka Soomaaliyeed ka jilicsanyihiin ma soo marin, Maxamedna maalmo gudahood ayuu soo baxayaa, oo hawsha adag ee idiin hortaal ayuu idinkala shaqaynayaa insha Allah".

Markii telefoonkii aan dhammaynay ayuu aabbe (AUN) igu yiri: "Waa inaad si deg deg ah u baxdaa oo dowladda Soomaaliya u dhalatay wixii aad aqoon iyo khibrad leedahay ku kaalmee. Aniga oo ballantii aabe fulinaya ayaan u soo duulay halkii dowladdii ku meel gaarka ahayd ka dhalatay ee Nairobi, Kenya, xilligaas oo ahayd 2004tii."

Danjire Maxamed Cali (Ameeriko) markii uu yimid Kenya wuxuu isla markiiba ka shaqa bilaabay xafiiskii Raysal wasaaraha Soomaaliya Cali Maxamed Geeddi oo waagaas si ku meel gaar ah ugu shaqaynayay Nairobi.

Maalmo yar kaddib waxaa loo magacaabay agaasimaha guud ee xafiiska Raysal Wasaare Geeddi. Muddadii uu xafiiskaas ka shaqaynayay Maxamed waxaa lagu bartay howl karnimo iyo shaqo wanaagsan. Shaqaalihii xaafiiska ka shaqaynayay oo dhan ay wada jeclaadeen, iyaga oo ku tilmaamay dhammaan sifooyinkii lagu yaqaannay agaasin xafiis sidaan oo kale u baaxad weyn, taas oo ugu dambayntii keentay in loo magacaabo danjiraha Soomaliya ee Kenya.

Magacaabistii Danjire Maxamed Ali (Ameeriko)

Mudane Maxamed Cali Nuur (Ameeriko), markii uu muddo xafiiskii Raysal wasaaraha ka ahaa agaasime guud, dowladdii ku meel gaarka ahayd ee Soomaaliya waxay u guurtay waddankeenii. Waxay xarun ku meelgaar ah ka dhigteen magaalada Jowhar iyo Baydhabo kaddibna magaalo madaxda Muqdisho ayay u guureen. Haddaba dowladdii Soomaaliya waxay garwaaqsanayd inaan waddanka Kenya looga maarmi karin in safaaraddii Soomaaliya dib loo furo, loona baahanyahay dad aqoon, khibrad, xirfad iyo waayo aragnimo u leh shaqada baaxadda weyn ee socotay.

Danjire Maxamed Cali Nuur ayaa 2006dii loo magacaabay inuu noqdo sii haya safaaradda Soomaaliya ee Kenya.

2007dii ayaa goloha wasiirrada dowladdii ku meel gaarka ahayd la hor geeyey danjire Maxamed Cali Nuur si ay ugu codeyaan magacaabidiisi danjiraha Somaliya wakiilka uga noqon doona Kenya. Halkaas ayaa lagu ansixiyey inuu noqdo danjiraha Soomaaliya u fadhiya waddanka Kenya. Iyada oo qunsuliyaddana loo soo magacabaabay Eebbe ha u naxariistee mudane Maxamed Aadan Cismaan "Edson".

Kenya ayaa ahayd halbowle dhinacyada; dhaqaalaha, siyaasadda iyo waliba xiriirka Soomaaliya la yeelanayso adduunka oo dhan, iyada oo ay deganaayeen dhammaan safaaradaha iyo hay'adaha caalamiga u qaabilsan Soomaliya, oo ay si ku meel gaar ah ugu shaqayn jireen Nairobi.

Waxaa intaas sii dheerayd, waddanka Kenya waxaa ku taallay xeradii ugu weyneyd ee qaxooti ku nool yihiim ee Dhadhaab iyo waliba Kaakumma oo ay labadoodaba ku noolaayeen Soomaali fara badan oo ku soo qaxay waddanka Kenya. Xilligaas aad ayay muhiim u ahayd in Soomaliya soo magacawdo danjire, safaaradda Soomaliyana dib loo furo.

19kii bishii Oktoobar, 2007dii ayaa madaxweynihii waqtigaas ee waddanka Kenya Mwai Kibaki, kala wareegay waraaqihii aqoonsiga, isaga oo Maxamed Cali Nuur (Ameeriko) noqday danjirihii ugu horreeyey ee Soomaaliya dib ugu magacaabato waddanka Kenya tan iyo 1991dii markaas oo ay burburtay dowladdii Soomaaliya.

Guulihii iyo Caqabadihii

Danjire Maxamed Cali Nuur (Ameeriko) markii la magacaabay wuxuu horey ka bilaabay inuu u shaqeeyo shacabkii dhibaatada badan haysatay ee ku noolaa waddanka Kenya, kuwaasoo isugu jirey qaxooti iyo kuwo sharciyo waddama kale ka soo qaatay wata, balse burburkii dalkooda ku dhacay ku waayay xuquuq badan oo ay lahaan lahaayeen.

Danjiraha oo arritaa ka hadlaayo, wuxuu yiri: "Dhanka kale waxaan isku waajibiyey inaan Soomaalidii qaxootiga, ardada iyo ganacsata ahayd tuso inay dhalatay dawlad Soomaaliyeed oo dib u furtay safaradoodii ay ku lahayd Kenya, taasoo wakiil ka ah dowladda iyo jaaliyadda Soomaliya. Intaas waxa ii dheereyd inaan isku howlnay ka qayb qaadashada sidii xiriirkii Soomaaliya la lahayd Kenya iyo wadamadda wakiilka uga ahaa Soomaliya, oo si ku meel gaar ah ugu shaqayn jiray Nairobi, dib u soo celin lahayn".

Guulaha la taaban karo ee safaaraddu la timid mudadii ay shaqaynaysay, waxaa ugu weynaa sida dadka Soomaaliyeed oo waddankoodii burbur, dowlad la'aan iyo nidaam la'aan uga soo tegay, markay yimaadeen Kenya in badan oo ka mid ahi ka shaqaysanayeen iyagoon sharci lahayn, ayaa danjire Maxamed Cali (Ameriko) iyo diblomaasiyiintii la shaqaynaysay ku guulaysteen inay hirgelyaan in muwaadhiniinta Soomaliyeed ee ku nool Kenya inay qaataan baasaboorka Soomaliga ah kaddibna ay saartaan sharciyo rasmiya oo ay ku shaqaystaan ama wax ku bartaan oo ay dugsiyo dhigtaan.

Danjire

Danjire Maxamed Cali (Ameriko) ayaa yiri:" Markii safaaradda la furay caqabadihii noogu darnaa waxaa ka mid ahaa, inay jireen baasaboorkii dawladdii hore ka dhacday oo la been abuurayay, wuxuuna been abuurkaasi dilay magacii iyo sumcaddii Soomaalidu ku lahayd dunida, wuxuu kaloo sharaf tiray baasaboorkii u taagnaa astaanta muwaadinka Soomaaliyeed. Safaaradda Soomaliya ee Kenya waxay noqotay halkii ugu horaysay ee baasaboorka cusub ee hadda la isticmaalo bixintiisa laga bilaabay, kaasoo wax weyn u taray bulshada Soomaaliyeed ee Kenya ku noolayd, hadday ahaan lahaayeen ganacsato iyo shicib quud daraynaya inay dibadaha u safraan."

Guusha koowaad waxay ahayd in 17 sano kadib la soo celiyey xiriirkii diblamaasi ee u dhexeeyey Soomaaliya iyo Kenya.

Safaaraddu sidoo kale waxay irid u noqota in ka badan shan boqol kun oo qof oo Soomaali qaxooti ku ah Kenya, xeryaha Dhadhaab iyo Kaakuma oo ahaa halka dadka ugu badan ee qaxooti Soomaaliyeed ku nool yihiin iyo magaalooyinka kale ee Kenya, waxay safaaradu ku soo jeedisay indhaha caalamka, si dadkaas xaalkooda nololeed ee liitay wax looga qabto.

Marka hawl dawladeed oo wakhti badan adeegyada ay qabanaysay oo maqnayd ay soo noqoto, waxaa ku adkaanaysay masuuliyiinta goobtaas iyo dadkii inuu dhex maro is faham, markii safaaradda Soomaliya ee Kenya dib looga furay Nayrobi, waxaa wakhti qaadatay in la dhiso xiriirka dadka Soomaaliyeed iyo safaaradda.

Waxaa keenayey culayska iyo shakiga, dadkii Soomaaliyeed oo quus ka istaagay dawladnimo, waxayna la noqotay dhalanteed. Danjiruhu wuxuu wakhti badan ku bixiyey in Soomaalida ku nool Nayrobi iyo magaalooyinka kale ee Kenya fahamsiiyo muhiimadda diblomaasiyadeed ee safaaraddu u leedahay adeegyaday rabaan, wakhtiga u dheerna waa ku qaadatay, wuuse gulaystay.

Kenya waxaa ka dhacayay dhacdooyin is xig xigay oo dhinaca amaanka ah, taasina waxay keentay in dawladda Kenya ay bilowdo hawl gallo ka dhan ah dadka sharci la'aanta ku jooga Kenya oo ay Soomaalida ka mid yihiin. Meelaha ay Soomaalida ku badan yihiin ee magaalada Nayrobi oo ay xaafadda Eastleigh ugu horayso ayaa noqotay bar tilmaameed. Gawaari waaweyn oo ciidamo booliis ah ka buuxaan ayaa ka bilaabay inay qab qabtaan dadkii sharciga lahaa iyo kuwii aan lahayn, iyadoo la isugu geeyey garoonka kubadda cagta ee Kasarani ee Nayrobi. Waxaa halkaas la isugu geeyey boqolaal qof oo isugu jira, haween, carruur, dad waayeel ah iyo dhallinyaro.

Guusha labaad waxay ahayd in danjire Maxamed Cali (Ameeriko) iyo diblomasiyiinta safaarada ay ku guulaysteen inay muwaadhiniinta Soomaaliyeed ka soo saaraan garoonka Kasarani, iyadoo safaaradda ay ahayd isha keliya ee u dhaq dhaqaaqday dadkaas, oo arrimahooda furdaamisay, kuwii aan sharci lahayna u fududeeysay inay wadankoodi ku noqdaan, kuwa sharci haystana siidaayay.

Danjire Maxamed Cali Nuur (Ameeriko) oo ka hadlaya arrintaas ayaa yiri: "Marka hore waxaan u dacwooday dawladda Kenya, kadibna waxaan tegay goobta dadka la isugu geeyey ee garoonka kubbada cagta ee Kasarani, kuwii sharciga lahaa goobta waan ka sii daayey, halka kuwii kale ee aan sharciga lahayn aan u fududeeyey warqado ay dib ugu noqdaan wadankoodii, diyaradana u kiriiyey oo si lacag la'aan ah ugu daad guraysay waddankooda Soomaaliya."

Waxaana muddo ka badan saddex todobaad socday daad guraynta dadka, iyadoo todobaadkiiba ay baxayeen afar duulimaad.

Danjire Maxamed Cali (Ameeriko) ayaa yiri: " Guushii saddexaad oo aan la hilmaami karin, intii aan danjiraha ahaa, markastana qalbigayga aan ka baxayn aniga iyo diblamaasiyiintii kale ee safaaradda igala shaqaynaysay, waa soo celinti gurigii ay lahayd safaaraddii Soomaalidu oo markii burburku dhacay ganacsade asal ahaan Aasiya ka soo jeeda, laakiin haystay dhalasho Kenyan ah iibsaday gurigii safaaradda, gurigaasoo dacwadiisa maxkamadeed socotay muddo saddex sano ka badan, dhaqaale badanna ku baxay dacwadiisa. Ugu danbayna 7dii bishii December 2010 ayaa si rasmi ah loogu wareejiyey dawladda Soomaaliya, oo ay maxkamadda sare ee Kenya dhulkaas lahaanshihiisa u xukuntay Soomaaliya.

Dadaalka loo galay soo celinta gurigaas waxaa ka qayb qaatay ganacsato iyo dadweyne Soomaaliyeed oo deganaa Kenya, maalin kasto oo aan tagno maxkamadda waxaa soo buux dhaafin jiray jaaliyadda Somaliyeed oo ka kala imaanayay magaalooyin kala duwan ee Kenya, iyagoo sita calanka Soomaaliya. Maalintii ugu dambaysay oo xukunka maxkamadda dhacaysay ee 7dii December 2010 gudaha iyo banaanka maxkamadda waxaa buux dhaafiyey dadweyne badan oo calanka Soomaaliya ruxayay, guushaasi waxay ahayd mid u soo hoyatay Soomaali oo dhan. Marki qaaligii maxkamada sare ee Kenya ku dhawaaqay in dhulka loo soo celiyay Soomaliya, gudaha iyo banaanka maxkamadda dadweynihii Soomaaliyeed waxay wada qaadeen heesti calankeena, dad badanna way qiiroodeen oo ilmeeyeen oo aan aniga ka mid ahaa. Waxaan soo aadnay dhulkii iyo gurigii aan soo ceshanay, roob badan baa da'ayay maalintaas, dadweynihii intuu faraxi ka batay ayay xoog ku galeen oo jebiyeen albaabkii guriga, kaddibna calankeeni ayaan dib ugu surnay dhulki safaarada oo si sharci darro looga dejiyay 1995tii."

Guusha kale waxay ahayd fursadihii deeqo waxbarasho, iyadoo boqolaal dhallinyaro Soomaaliyeed oo aan haysan dhaqaale ay tacliin sare ku helaan, ayuu dadaal dheeri ah ku bixiyey danjire Maxamed inuu u helo waxbarasho. Haddana waxaan la illoobi karin sidii uu u maareeyey deeq waxbarasho oo safaaradda Soomaaliya ee Kenya soo martay xilligiisii.

Mudaadii uu Danjire Maxamed Cali (Ameeriko) safaaradda joogay, wuxuu xoogga saaray sidii dhallinta Soomaaliyeed loogu heli lahaa deeqo waxbarasho. Ma ahayn arrin masuul kaliya ku tillaabsan karo, balse danjiraha oo kaashanaya dhammaan masuuliyiinta wasaaradaha kala duwan, gaar ahaanna, kuwii waxbarashada, waxay imtixaan ku qabteen gudaha safaaradda Soomaaliya ee Kenya, kaas oo loogu tartamayey deeqo waxbarasho oo ay ka heleen dawlado saaxiibo ah.

Danjire Maxamed Cali Nuur (Ameeriko) oo dowladda Soomaaliya u fadhiyaa Kenya oo kaashanaya Wasaaradda Waxbarashada ee Dowladda Federaalka ee ku meel gaarka ahayd, ayaa bishii June 2011kii dhabarka u ridatay hawshaas oo aysan sahlanayn in lagu dhiirrado xilligaas. Isaga oo goobta imtixaanka ardada ku galayaan noqoto dhulkii safaarada ee la soo celiyay, taasoo maalintaas Soomaali oo dhan sharaf u tahay in arday Soomaaliyeed safaaraddooda imtixaan ku galayaan, niyad dhis weyna u ahayd ardada.

"Waa sharaf Soomaaliya u soo hoyatay in maanta in arday ka badan 300 ay deeqo waxbarasho u tartamayaan, isla markaana ay imtixaanka ku galayaan dhismihii safaaradda Soomaaliya oo aan dib u soo ceshanay. Tani waxay nagu abuuraysaa yididiilo cusub iyo rajo ifaysa, waxaan u mahad celinayaa Wasiirkii Wasaaradda Hidaha iyo Tacaliinta Sare ee wakhtigaas Dr. Cabdinuur Shiikh Maxamed iyo ardada Soomaaliyeed" ayuu yiri Danjire Maxamed Cali Nuur (Ameeriko).

Ardada fursadahaan waxbarasho ka faa'iidaystay, ayaa isugu jirey kuwo qaxooti ku ah waddanka iyo kuwo daganaansho ku haysta Kenya. Danjire Maxamed Cali (Ameeriko) ayaa waxaa hawsha ku weheliyey Wasiirkii Wasaaradda Hidaha iyo Tacliinta Sare mudane Dr. Cabdinuur Shiikh Maxamed, oo isna dadaal dheer geliyey sidii ardayda Soomaaliyeed deeqo waxbarasho uga heli lahaayeen waddamada ay Soomaaliya xiriirka dhaw leeyihiin.

Danjire Maxamed Cali Nuur (Ameeriko) ayaa balan qaaday in ka safaarad ahaan ardayda aysan ku halayn doonin deeqo waxbarasho oo dibadda keliya laga helo, ee sidoo kale iyagoo kaashanaya ganacsatada Soomaalida ee Kenya degan ay raadin doonaan habab kale oo ardaydu waxbarasho ku heli karaan.

Danjire Maxamed Cali (Ameeriko) wuxuu ardayda kula dardaarmay inay waxbarashada ku dadaalaan, sidoo kalena ay dhaqankooda ilaaliyaan meel kasta oo ay joogaan. Danjiraha oo arrintaas ka hadlaya ayaa yiri: "Waxaan idin kula dardaarmayaa inaad si dhab ah wax u barataan. Waxaad tihiin ubaxa la fiirsanaayo oo umaddii Soomaaliyeed oo dhan ay wada sugayso. Waxbarashadu waxay u baahantahay samir iyo dulqaad, iyo inaad dhaqankiina ku dhaganaataan. Anigu waxaan waxbarasho dibedda uga baxay waqti hore, aabahay Allaha u naxariistee ayaa talada aan maanta idin siinayo aniga i siiyey, markii aan dibedda waxbarasho u aaday."

Safaaradda Soomaaliya ee Kenya ayaa markii uu imtixaanku soo dhamaaday isla xarunta safaarada ku samaysay qado sharaf ay ka soo qeyb galeen, hadallana ka jeediyeen mas'uuliyiin, fanaaniin, danjirayaal, ardaydii imtixaanka gashay iyo waalidkooda. Fanaaniinta maalintaas meesha ka hadlay waxaa ka mid ahaa Allaha u naxariistee Saado Cali Warsame, wakiilkii wakhtigaas ee Xoghaya Guud ee QM u qaabilsanaa Soomaaliya danjire Augustine Mahiga oo isna goobta ka hadlay ayaa ku dheeraaday fursadda ay dhalinyaradu u heleen siday muhiim u tahay wakhtigaan, isaga oo aad ugu mahadceliyay danjire Maxamed Cali Nuur (Ameeriko) dadaalka uu ugu jiro qaxootiga Soomaaliyeed ee wadanka Kenya ku sugan inay helaan waxay u baahan yihiin iyo waxbarasho.

Danjire Maxamed Cali (Ameeriko) ayaa ardaydii ka qeyb gashay imtixaanka, gaar ahaan kuwii ka yimid xeryaha Dhadhaab iyo Kaakuma u sameeyey barnaamij bakhtiyaa nasiib ah oo ay ku guuleysteen toban arday oo uu kiiba helay lacag $300 oo doolarka mareykanka ah, waxa ayna ardaydu halkaas ka tageen iyaga oo aad u faraxsan oo aad u amaanaayo masuuliyiinta safaaradooda Soomaliya ee Kenya oo uu ugu horeeyo Danjiraha.

Danjire

Shaqada Diblomaasiyadda

Shaqada diblomaasiyadda waa hawl u baahan samir, soo jeed iyo in qofka ka shaqaynaayo ahaado qof il furan oo waxyaabaha dunida ka dhacaya iyo sida xiriirada dawladuhu isu bedelayaan la jaan qaadi kara, siyaasadda dowladiisana iibin karo, difaaci karana, waa shaqada wadankaaga dhisi karta sharaftiisa ama dhulka dhigi karta, waxayna u bahan tahay qof markiisii hore anshaxiisa iyo hufnaantiisa la soo dhisay inuu qabto hawshaan.

Qofka danjiraha ahi wuxuu wakiil ka yahay Madaxweynaha iyo waddankiisa, waa qofka saddexaad ee calanka qaadi kara, labada qof ee kale waa Madaxweynaha iyo Gudoomiye gobol. Sharaftii wadanka ayuu huwan yahay, si haybad iyo xushmad leh waa inuu u difaacaa wadankiisa. Waxaa noqon kara danjire qof deggan oo difaaci kara sharafta qaranka, dalka iyo dadkaba.

Danjire Maxamed ayaa yiri: "Markii aan qabtay shaqadaan safiirnimo waxaan la kulmay dhowr nin oo khubaro ku ahaa shaqada diblomaasiyadda, waxayna kala ahaayeen:

a. Danjire Cabdullaahi Xasan (AUN) oo Masar safiir uga ahaa Soomaliya.

b. Danjire Axmed Cabdalla(AUN) oo Sucuudiga safiir uga ahaa Soomaliya.

c. Danjire Yuusuf Ibraahim (Dheeg) oo China safiir uga ahaa Soomaaliya, horeyna u soo noqday Raysal Wasaare ku xigeen iyo Wasiir arrimaha dibadda.

d. Danjire Maxamed Maxamuud Tiifow oo Jarmalka safiir Soomaliya uga ahaa.

Waxaay diblomaasiyiintan sare ii ahaayeen macalimiin, maadaama aan ku cusbaa shaqada diblomaasiyadda, aad ayaan ugu mahad celinayaa."

Danjire Maxamed Cali Nuur (Ameeriko) ayaa yiri: "Caqabaddaha kale ee furintaankii safaaradda ku soo baxay waxaa ka mid ahaa in la helo shaqaale horay uga soo shaqeeyey diblomaasiyadda, waayo ma jirin wasaarad arrimo dibadeed iyo goobo dawladeed oo lagu soo barto diblomaasiyadda kaddib 1991dii, saraakiisha arrimaha dibadda ee horay wadanka ugu shaqaynaysayna waxay noqdeen, kuwo geeriyooday, hawl gab noqday iyo kuwo wadamo kale qaxooti isaga noqday, wax shaqo ahna aan qaban mudadaas. Waxay arrintaani igu keentay inaan waayo shaqaale ka bixi kara hawlaha adag ee diblomaasiyadda iyo soo noolaynta goob aan wax shaqo ahi ka jirin, waase ku guulaysanay oo dadkii aan shaqalaynay tababar siinay."

Guulihii Danjire Cali Ameeriko

Markii Mudane Maxamed Cali Nuur (Ameeriko) loo magacaabay danjiraha Soomaliya wakiilka uga ah Kenya, wuxuu horey ka bilaabay shaqooyin waaweyn oo aysan dad badan markaas ku fakarayn in danjire iyo safaarad Soomaaliyeed oo cusub qaban karto. Haddaba aan xusno qaar ka mid ah waxyaabihii waaweynaa ee uu Danjire Ameeriko qabtay oo uu ku guulaystay muddadii uu xilka u hayey umadda Soomaaliyeed, waxayna kala yihiin:

Soo celintii safaaraddii sida sharcidarrada ah lagu iibiyay

Markii ay burburtay dawladdii dhexe ee Soomaaliya 1991kii, waxaa burburay wax kasta oo ay ugu horrayso dowladnimadii, qiyamkii iyo akhlaaqdii. Waxaa lumay qabkii iyo isla waynidii qofka Soomaaliga ahi lahaan jirey. Waxaa meesha ka baxay kalsoonidii nafeed iyo sharaftii dadku lahaayeen.

Waxaa meesha laga saaray wixii la wada lahaa, qof walbana wuxuu isku dayay inuu boobo wixii uu awoodo, inta diinta iyo iimaanka leh

Danjire

mooyaanee, kuwaasoo mar walba jira, jirinna doono. Waa markii uu Abwaan Abshir Bacadle lahaa, Allaha u raxmadee, isaga oo suuraynaya meesha Soomaalidu gaartay iyo meesha ay ka timid: -

Wixii daar burburey iyo wixii dabaqyo aafoobay

Wixii guri daboolkii sariyo daaqa laga dhawrey

Danta guud dubaha lagu dhuftiyo daqarradii gaaray

Warshadaha dabkii lagu qabtoon cidi u diireynin

Dabkii korontadiyo biyaha waxay diiratadu leeftay

Ayax bililqaa nagu dagoo diirtay baladkiiye

Dalkii waxaa ka dhaqan bushashkiyo gaari daxalaystay

Intii kale dablaydaa qabiyo dooxatiyo tuugo

Ma daloolsadeen haamihii deeqda lagu kaydshay

Dab miyey sureen waa dulli aan xuma ka daalayne

Dabciga dhiidhigay leeyihiin mana dareemaane

Dadna uma ogola caanahana kama durduurtaane

Illee doqoni calaf ma leh waxay dumiso mooyaane.

Haddaba marka la galay xaaladda uu hal abuurku sidaas u cabbirey, hantida la bililiqaystay kuma ekayn middii gudaha waddanka taallay ee ama qaranku lahaayeen ama qof lahaa ee xataa middii dibadda ayaa la boobay.

Waxaa hantida qaranka ee la boobay ku jirey dhulkii iyo dhismihii safaaraddii Soomaaliya ku lahayd magaalada Nairobi ee Kenya, 1994tii ayaa waxaa sifo aan sharci ahayn ku gaday safaaradda, danjirihii Soomaaliya u fadhiyey dalka Kenya, markii Soomaaliya burburtay.

Danjirahaas ayaa ka iibiyey ganacsade asal ahaan Hindi ah, balse dhalasho Kenyaan ah lahaa oo la yiraahdo Suleiman Rahematullah Omar iyo gabadhiisa oo iyana lagu magacaabo Zarina Suleiman.

Danjire

Qiimaha uu ka siiyey dhulka iyo dhismaha safaaradda Soomaaliya ayaa lagu sheegay 15 milyan oo shillin ka Kenya ah, halka ay qiima ahaan joogtay 500 miilyan oo isla shillin ka Kenya ah.

Safaaraddu waxay ku fadhida dhul aad u weyn oo ku yaalla xaafadaha dadka ladan iyo safaaradaha shisheeye ay ka degaan yihiin Nairobi ee la yiraahdo Westland.

Danjire Maxamed iyo garbihiisii Soomaaliyeed, oo isugu jiray diblomaasiyiinti kala shaqaynaayay safaarada iyo jaaliyaada Soomaliyeed ee ku nooala Kenya, ayaa u istaagay inay soo celiyaan dhulka safaaradda ku lahayd Nairobi. Waxay horey ka bilaabeen inay dacwada safaaradda ay maxkamada sare ee Kenya fayl dib uga furaan. Danjiruhu wuxuu arrinta dhulka iyo dhismaha safaaradda dhawr kulan oo kala duwan kala yeeshay qaybihii ay khusaysay ee dowladda Kenya, una sheegay inay ka go'an tahay inuu dhulkaas waddankiisa u soo celiyo. Kuwaas oo ay ka mid ahaayeen madaxda ugu sarsarreysay Kenya xilligaas.

Waxaa xusid mudan in marar badan ninka guriga safaaradda gatay Sulaymaan Rahematullah Omar uu si gaar ah isugu dayey inuu danjiraha ula soo xiriiro, uuna u soo bandhigay in uu dhul ka siiyo xaafado kale oo iyaguna qaali ah oo Nairobi ku yaalay, danjiraha marna kama leexan hadafkiisii ahaa in ummadda Soomaaliyeed dib uu ugu soo cesho safaaraddoodii cidlada looga qaatay, iyada oo looga faa'iidaysanayo dawladdii ku meel gaarka ahayd ee xilligaas jirtay. Danjire Maxamed Cali ayaa Eebbe gacantiisa ku keenay, dhulkii iyo dhismihii safaaradda Soomaaliya ee la xaraashay. Safaaradda oo muddo 15 sano ka badan ay mulkiyaddeeda haysteen shisheeye shillimaad kula wareegay.

7dii Diseember, 2010kii ayaa maxkamaddii sare ee Kenya ee dacwaddu taallay, ay ku dhawaaqday in dhulka iyo dhismaha safaaradda dib loogu celiyo dowladda Soomaaliya, iyaga oo dhanka kalena maxkamadda sare ay Soomaaliya ku xukuntay inay bixiso lacag 15 milyan oo shillinka Kenya ah oo horey looga qaatay ninka sharci darrada looga gaday dhulkii safaaradda.

Danjire

Danjiraha Soomaaliya, howlwadeennadii kale iyo qareenadoodii oo dacwada ku weheliyey waxay qaateen labo tillaabo oo waayeelnimo iyo bisayl ka muuqday. Waxay aqbaleen qaybta hore ee go'aanka maxkamadda ee ahaa in safaaradda Soomaaliya loo xukumay, waxayse racfaan ka qaateen in lacag loo celiyo ninkii safaaradda laga iibiyey. Waxay ku doodeen in safaaraddu qalabaysnayd markuu la wareegay 1994kii, sidaas daraadeedna ay ka doonayaan agabkoodii oo ay ugu muhiimsanaayeen dokumiintigii dowladda ee safaaradda yaallay iyo xogo muhiim u ahaa dadka iyo dalka Soomaaliya oo isaga gacantiisa galay.

Ninkii ganacsadaha ahaa markii uu maqlay erayadaas, wuxuu go'aansaday inuu dacwada halkaas uga haro, oo uusan Soomaaliya iyo safaaraddeeda fara gashan, waaba haddii intaas looga haree.

Danjiruhu wuxuu guusha soo celinta dhulka safaaradda Soomaaliyeed ee Kenya ugu mahad celiyey, diblomaasiyiintii safaraadda ka shaqayn jiray sagaashameeyadi oo ka hor yimid xilligaas safiirkoodi inuu iibiyo dhulka, qaarkoodna la xiray, oo uu ka mid ahaa danjire Muse Xersi Faahiye (AUN), diblomaasiyiintii kala shaqaynayey safaaradda, gaar ahaan qunsulkii safaaradda mudane Maxamed Cismaan Aadan (Edson) AUN, qareemadii, ganacsatada, jaaliyadda Soomaaliyeed ee Kenya iyo weriyayaashii mar walba hiil iyo hoo la daba taagnaa safaaradda.

Maxkammada sare ee Kenya waxay labada dhinac ee isku haystay dhulka safaaradda Soomaaliyeed u qabatay maalin ay go'aankeeda sheegi doonto. Markii la gaaray muddadii lagu ballamay oo ahayd 7dii December 2010, Soomaalidii Nairobi deganayd waxay hor dhoobteen maxkamadda xukunka laga sugayay. Xaakimku wuxuu gaaray go'aan kaga farxiyey Soomaalida.

Marka xaakimku sheegay in Soomaalidu guulaysatay, ayaa hal mar waxaa dhaqaaqay dhulkii maxkamadda. Waxaa calanka Soomaaliya wada lulay dhammaan Soomaalidii meesha yimid oo uu u horeeyo

Danjire

Danjire Maxamed Cali Nuur (Ameeriko), iyada oo dadka shaki ka galay inay meeshu tahay caasimadda Soomaliya ee Muqdisho iyo inay tahay caasimadda Kenya ee Nairobi!

Iyadoo maalintaas roob badani da'ayo, ayaa waxaa loo dareeray dhulkii safaaradda. Waxaa la isugu jirey dad lugeeya iyo kuwo gaadiid qaatay. Albaabkii dhismaha ayaa la hor dhoobtay. Waxaa gudaha ka soo baxay wiil uu dhalay ninkii dhulka haystay, balse markii uu arkay dadka badan ee soo buuxsamay afaafta hore ee dhismaha safaaradda, wuxuu soo aruursaday wixii agab uu qaadi karay ee ka yaallay dhismaha.

Danjire Maxamed oo arrintaas ka warramaya ayaa yiri sidan: "Maalintaas laba farxadood ayaan dareemay. Mid waxay ahayd marka guushii annaga na raacday, midda kalena waxay ahayd markii hal mar ay Soomaalidii maxkamadda soo buux dhaafiyeen oo waliba noo raaceen dhulkeenii aan u doodaynay, kaddibna ku guulaysanay in annaga naloo xukumo. Dhamaanteen waxaan wada tagnay dhulkeenii".

Dhulkii waqtiga badan gacanta ugu jirey shisheeyaha, maalintaas wixii ka dambeeyey wuxuu noqday dhul Soomaaliyeed, isla maalintaas waxaan ka taagnay calanka Soomaaliya oo aan wada heesnay heestii astaanka calankeena. Waxaa maanta ka babanaya tooradda Soomaaliya. Wuxuuna dugsi iyo dugaal u yahay umadda Soomaaliyeed, saqiir iyo kabiir. Marka qofka Soomaaliga ahi maanta marayo xaafadda Westland ee Nairobi oo uu arko calankeeni oo ka babanaayo gurigaas, wuxuu dareemayaa in ay jirto dhul dalkiisu leeyahay oo uu u magan geli karo haddii naftiisa iyo hantidiisa mid uun khatar galaan.

Danjire

Dib u celintii maxaabiistii Soomaaliyeed ee Kenya ku xirnayd

Dowladdii Soomaaliya waxay burburtay 1991kii, wixii waqtigaas ka dambeeyey Soomaaliya waxay noqotay mid ka maqan fagaarayaasha adduunka. Malahayn cid u doodda oo dhibaatadooda xallisa, waxay dunida ka noqdeen agoon iyo rajo, aan aabe difaaca iyo hooyo kaalmaysa lahayn.

Waddamo badan ayaa boobka khayraadka wadankeena boobay, waxaa ka mid ahaa; kuwii badaha Soomaaliya jariifayay, kuwii kheyraadkii aan lahayn maraakiib waaweyn ku gurtay, kalluumaysatadii masaakiinta ahaana biyaha ku buufiyey, suntana ku shubay badaheenna.

Haddaba dadka dhibaatadu ka soo gaartay dayacaan waxaa ka mid ahaa dhallinyaro Soomaaliyeed oo la soo qabqabtay, iyaga oo noolal maalmeedkooda badda ka raadsanayey. Waxaa la kala geeyey xabsiyo kala duwan, laguna eedeeyay burcad badeednimo. Waxaa loo bixiyey magacyo cusub oo ay ugu caansanayd "Burcad badeed". Waddamada dadkaas lagu xirxirey waxaa ka mid ahaa waddanka Kenya, ee uu danjire Maxamed Cali Nuur (Ameeriko) ka ahaa safiir.

Tallaabooyinkii uu isla markiiba qaaday danjiruhu waxaa ka mid ahaa, dib u soo celinta maxaabiista xabsiyada Kenya ku jirey iyo u kuur gelidda xaaladdooda noolaleed, caafimaad iyo niyadeed. Danjiraha isaga oo arrintaas ka warramaya wuxuu yiri: "Waxaan tagay xabsi ku yaalla magaala xeebeedda Mombasa ee la yiraahdo xabsiga Shima La Tewa. Waxaa la ii geeyey maxaabiista Soomaaliyeed. Qolada ammaankayga qaabilsanayd waxay igu wargaliyeen inaan maxaabiista dusha ka arko balse aanan gudaha u galin xabsiga. Aniga arrintaas kuma qancin, waxaanna ku iri: "Dhallinyaradaan meesha ku xiran waxay ka mid yihiin muwaadhiniinta Soomaliyeed ee ku nool Kenya oo aan wakiilka ka ahay, waxna ima yeelayaan, ammaankaygana khatar kuma ahan, sidaas awgeed waxaan rabaa inaan waqti la qaato, la sheekaysto, duruuftooda nololeed iyo xaalkooda si fiican u ogaado.

Waxay ahayd maalin Jimco ah, taasuna waxay ii ogolaatay inaan waqti dheer la qaato maxaabiista. Waxaan la tukaday salaaddii jimcaha, waan la sheekaystay, aniga oo isku dayayay inaan wax ka badallo dareenkooda maskaxeed, ogaadana duruufahooda.

Waxyaabaha aanan illoobi karin waxaa ka mid ahayd inaan meesha kula kulmay wiil da'yar oo lug ka go'antahay. Waxaa la ii sheegay in markii la qabanayay ay rasaas ku dhacday, kaddibna uusan helin daawayn ku habboon iyo la tacaalid, sidaas awgeed lugtii laga jaray kaddib markay caabuqday. Waxaan u soo iibinnay lug artifishal ah, wixii maalintaas ka dambeeyeyna lugtaas macmalka ah ayuu ku soconayay".

Danjire Maxamed Cali (Ameeriko) wuxuu Soomaaliya dib ugu celiyey in ka badan 130 maxbuus oo Soomaali ah oo loo haystay burcad badeed iyo dambiyo kale oo aan caddayn rasmi ah loo hayn, isaga oo tiro badan oo kale oo waddanka Kenya gudihiisa ku xirxirnaydna ka shaqeeyey inay caddaalad helaan.

Dib u soo celintii xiriirkii diblamaasiyadeed ee Soomaaliyada iyo dunida kale

Xilligaas qofkii garaad iyo garasho lahaa, wuxuu xusuustaa Soomaaliya oo abaar iyo colaad ka soo daashey. Soomaaliya oo ka nugul dhan walba; dhaqaale, siyaasad, xiriir bulsho iyo is aaminid, una baahan cid tabantaabisa.

Si kastaba ha ahaatee, danjire Maxamed Cali Nuur (Ameeriko) markii loo magacaabay safaaraddii Soomaalidu ku lahayd waddanka Kenya, wuxuu u tafaxaytay sidii uu dib u soo celin lahaa sumcaddii iyo karaamadii Soomaalidu ku lahayd dunida.

Danjire

Wuxuu garaacay albaabada safaaradaha iyo diblamaasiyiintii joogtay Kenya. Wuxuu dib uga gaday inay Soomaaliya ku soo laabatay fagaarayaashii adduunka, wixii maanta ka dambeeyana ay leedahay cid matasha. Danjire Maxamed Cali (Ameeriko) ayaa la kulmay dhammaan safiiradaha waddamada adduunka ka joogay Kenya, isaga oo dareensiiyey wixii maanta ka dambeeyey inay leeyihiin danjire iyo safaarad Soomaaliya oo si rasmi ah u matasha waddankooda.

Wuxuu horey ka bilaabay inuu la kulmo ardaydii Soomaaliyeed ee dalka wax ka baranaysay, isaga oo ku dhiirrigeliyey inay samaystaan urur ay ku mideysan yihiin oo safaaradda hoos yimaada, iyaga oo safaaraddooda garabsanayana ay raadsadaan wixii xuquuq ah ee ay leeyihiin.

Dhanka kale wuxuu shiriyey ganacsatadii iyo maalqabeennadii Soomaalida ahaa ee ku sugnaa waddanka Kenya, isaga oo u sheegay in laga bilaabo maanta ay leeyihiin danjire iyo safaarad baahidooda daboolaysa, taas oo dhammaan u diyaarinaysa wixii xaq ay ugu leeyihiin waddanka ay joogaan ee Kenya. Danjiraha ayaa u howl galay in diyaaradaha aada magaala madaxda Soomaaliya ee Muqdisho ay ka baxaan garoonka diyaradaha ee Joma Kenyatta oo ku yaala Nairobi inay ka degaan garoonka diyaaradaha ee Aadan Cabdulle Cusman ee Muqdisho, halkii markii hore ay ka bixi jireen Wilson, kana degi jireen garoomo ay ka mid yihiin ballidoogle, lambar konton (Km 50) iyo kuwo kaloo yar yar oo badan.

Danjire Maxamed wuxuu ummaddii Soomaaliyeed ee Kenya iyo guud ahaan bariga Afrikaba u noqday iftiin ay ifsadaan iyo darbi adag oo ay dugsadaan.

Dhacdadii West Gate iyo Danjire Ameeriko

21[kii] Sebtember, 2013, waxaa weerar lama filaan ah lagu qaaday moolkii weynaa ee laga dukaamaysan jirey ee West Gate Mall, Nairobi. Xaruntaas waxaa galay rag hubaysan oo wajiga soo duubtay, waxayna halkaas ku qabsadeen cid kasta oo ku jirtay moolka gudihiisa. Waxay dileen dadka ishooda qabato, iyada oo tirada dhimashu ay todobaatan dhaaftay, qaar kaloo badnanna dhaawacmay.

Warbaahinta maxalliga ah, ayaa dhacdadaan eeddeeda dusha ka saartay dadka Soomaaliyeed, oo sheegay in dadka weerarka ku qaaday West Gate Mall kuligood ay yihiin muwaadhiniin Soomaliyeed, iyaga oo aan u fiirinayn dalka ay ka yimaadeen iyo da'da iyo fikirka ay aaminsan yihiin midna. Dadka Keenyaanka ah oo lagu yaqaanno inay ku xiran yihiin warbaahintooda ayaa aragtidaas badankooda qaatay. Haddaba danjire Maxamed Cali (Ameeriko) ayaa adeegsaday dhammaan xirfadihiisii siyaasadeed iyo kuwii khibradeed ee uu lahaa, si uu ummadda uga rogo shaabadda sharci darrada ah ee ay warbaahintu ku sumaddaysay muwaadhiniinta Soomaliyeed.

Wuxuu magacii Soomaalida ee argagixisada lagu lammaaniyey uu ka dhigay mid ka madax bannaan dhibaatooyinka ay geysanayaan argagixisadu. Wuxuu Keenyaanka u sheegay in dadka dhibaatada geysanaayo qaarkood ay yihiim dad u dhashay waddanka Keenya. Wuxuu si toos ah uga soo muuqday warbaahinta la iska arko iyo raadiyaasha, isaga oo sheegay in dadka lagu dilay moolka West Gate ay ku jiraan muwaadhiniin Soomaaliyeed, qaarna ku dhaawacmeen weerarkii foosha xumaa, aysanna kala soocin oo ay dhammaan dadweynihii meesha joogay si isku mid ah u xasuuqeen.

Danjire Maxamed Cali (Ameeriko), wuxuu naftiisa u hurey dadkiisa isaga oo khatar kasta oo ku imaan karta ugu bareeray. Waxaad mooddaa inuu maanka ku hayay tixdii Allaha u naxariistee Xaaji Aadan, ee uu

Danjire

dadka ku boorinayey inay naftooda u huraan dalkooda iyo dadkooda. Inkasta oo tixda abwaanku ku socotay xorriyad raadin, balse maalin walba meel bay kula galaysaa naf huridda dadkaaga. Wuxuu yiri abwaanku: -

Salliga iyo Allaahu Akbartey siri ka buuxdaaye

Saajacu ma hoogee libbuu saaami leeyahaye

Sawaariikhda waxa nooga dhigan Suuratul Ikhlaase

Naftuna Saacad bey leedahoow abidi seegeyne

Siyaadiyo nuqsaan laguma daro suu illaah yidhiye

Kuwo saymihii nabad galaa seexdayoo go'aye

Saxarba waa dillaa nimaan waqtiga sed ugu laabnayne

Geesiga senaad weyn leh iyo fulaha seereera

Geerida usiman sharafna way kala sareeyaane

Safka ninkii ka Baqa ee warmaha sugi awood waaya

Saldhigiisu aakharana waa sakhara naareede

Gobonimo sunbaa kaa xigtoo laysma siin karo'e

Waa Sarac ku baxa dhiig rag oo lagu sadqeeyaaye

Sarkaca kufrigu waa sasabo suu na leeyahaye

Dadweynaha Kenya ayaa arkay danjirihii Soomaaliya oo dhiig u shubaaya shacabkoodii iyo muwaadhiniinta Soomalida dhibka ka soo gaaray weerarkaas. Intaas kaddib jaaliyadihii Soomaaliyeed ee deganaa Nairobi, Mombasa iyo xeryaha qaxootiga ee Dhadhaab iyo Kaakuuma ayaa safaf u galay inay dhiig u shubaan dadkii ku dhaawacmay weerarkii West Gate Mall, iyagoo ku dayanaya danjirahooda.

19kii Feebaraayo 2014kii wafti ballaaran oo hoggaaminayey Raysal Wasaarihii Soomaaliya mudane Cabdiwali Shikh Axmed ayaa Kenya u yimid shir uu la lahaa Madaxweyne ku xigenka Kenya mudane William Ruto. Danjire Maxamed Cali (Ameeriko) oo arrin ka dhacday markay shirayeen labada masuul ka sheekaynaya ayaa yiri: "Maadaama aan ahaa danjirihii Soomaaliya ee waddanka Kenya u fadhiyey, markay wafdi ka socda dowladda Soomaliya la kulmayaan masuuliyiinta Kenya, waajibaadkayga waxaa ka mid ah inaan ballanta soo qabto, wafdigeenanna u kaxeeya meesha shirka ka dhacayey. Haddaba Ra'iisul Wasaaraha iyo tiro wasiirro ah ayaan ballan uga qabtay Madaxweyne ku xigeenka Kenya.

Markii shirkii la soo wada fariistay, sidii anshaxa ahaa waxaa hadalka furey masuulkii Kenya ugu sarreeyey ee shirka fadhiyey waa Madaxweyne ku xigeenka Mudane Willam Ruto. Wuxuu magacyadooda sheegay wasiiradiisii Keenyaanka ahaa ee goobta fadhiyey iyo xilalkooda, kaddibna wuxuu hadalka ku soo wareejiyey Raysal Wasaare Cabdiweli Shikh Axmed. Raysal Wasaaraha ayaa asna wasiiradii la socday magacyadooda iyo xilalkooda sheegay, balse markii aniga la i soo gaaray ayuu William Ruto yiri: "Danjire Maxamed Cali Nuur iska dhaaf waan naqaannaaye, waa danjirihii dhiiggiisa noo shubay, waligeena ma hilmaami doonno, aad buu u mahadsanyahay".

Taaakulayntii Qaxootiga

Markii waddanku burburay, dad badan oo qaxooti ah ayaa ku soo qulqulay waddanka Kenya. Waxaa laga furey gobolka waqooyi Bari ee Soomaalidu degto xerada qaxootiga ugu weyn adduunka ee Dhadhaab iyo Kakuma oo ku taal golbolka waqooyi galbeed ee Kenya. Danjire Maxamed Cali (Ameeriko) wuxuu u istaagay inuu dadka qaxootiga ah, garab siiyo. Wuxuu noqday masuulkii ugu horreeyey ee Soomaaliyeed oo booqda xeryaha qaxootiga ee Kakuma iyo Dhadhaab.

Wuxuu la garab istaagay taageero dhinac walba leh. Danjiraha oo arrintaas ka sheekaynaya wuxuu yiri: "Waxaan shaqadayda ka bilaabay inaan garab istaago dadkayga xeryaha qaxootiga ku jira, oo rajo dhigay waqti hore. Waxaan ula hadlay dhammaan ganacsatada Soomaaliyeed ee ku nool Kenya, hay'adaha Qaramada Midoobay iyo kuwa kale ee qaxootiyada kaalmeeya.

Waxaa jirey qaar ka mid ah qaxootiga oo magaalooyinka waaweyn ee Kenya ku noolaa, kuwaas waxaan u raadiyey inay helaan xuquuqda qaxootiga magaalooyinkey ku noolaayeen. Marka aan xeryaha tago waxaan u sheegayay inay si ku meel gaar ah u yihiin qaxooti intay waddankan Kenya joogaan laakiin ay leeyihiin danjire iyo safaarad ilaalisa xuquuqdooda iyo danahooda. Runtii waddanka Kenya, hay'adihii aan la kulmayba iyo jaaliyadda Soomaliyeed ee Kenya waxay i siiyeen tixgalin iyo qadarin weyn oo aan Ilaahay ugu horreyn ugu mahadnaqaayo, kaddibna dhammaan dadkii ila shaqeeyey."

Danjire Maxamed wuxuu si joogto ah ugu safri jirey xeryaha qaxootiga Soomaalidu ku jirto, isaga oo mar walba ka dhagaysan jiray duruufaha adag ee ay ku nool yihiin, una geynayey kaalmo.

Danjiraha oo ka sheekaynaayo qiso ku dhacday xilli isagoo raashin u qaybinaayo qaxootiga ku nool xerada Dhadhaab, ayaa yiri: "Markaan raashinkii qaybinay ayaa la ii sheegay inay jiraan qaxooti badan oo Soomaali ah oo mar dhow yimid xerada Dhadhaab kuna nool guryo ay iyaga ka sameysteen baco inta looga helaayo guryo ay degaan. Waxaan codsaday inaan soo booqdo, markaan tagnay aad ayaan uga xumaaday markaan arkay meeshay ku noolaayeen. Shaqaalihii Qaramada Midoobay ayaa ii balan qaaday in si deg deg loo dejin doono guryo.

Intaan soconay ayaan arkay islaan waayeel ah oo canjeero ku dubayso banaanka oo ay wiil iyo gabar yar ag fadhiyaan, waxay ii sheegtay inay caruurtaas abooto(ayeeyo) u tahay, wiilkeeda uu dhahay, Allaha u naxariistee wiilkeeda iyo xaaskisa ay ku dhinteen dagaalada Soomaliya, ilmahana ay iyada soo korisay. Intaan hadlaynay canjero ayay dubaysay, hal hal xabo oo canjeero ah ayay siisay caruurtii, markay dubtay canjeradii sadexaad ayay ii soo taagtay oo igu tiri: "wiilkaygaygiyow fariiso oo cun canjeeradaan." Waan ka diiday oo ku yiri: "mahadsanid abooto, idinka cuna." Intay surwaalka iga soo jiiday ayay si kulul igu tiri: "fariiso, dhaqankeena ayaa ah inaan martida waxaan cunayno wax ka siino." Ilin baa iga timid oo aan camashooday, waan fariistay oo ka qaatay canjeeradii, laakin intay dubaysay canjeeradi afaraad ayaan siiyay caruurti.

Ayeeyadaas waxay i xasuusisay dhaqankeena fiican oo ah walaaltinimada iyo is kaalmaynta, haddii aadan wax badan haysan. Alhamdullilaahi abootadaas iyo caruurteeda maalmo gudaheeda ayaa guri fiican la dejiyay."

Waxyaabihii u qabsoomi waayay danjire Maxamed Cali Nuur (Ameeriko)

Safiirka oo ka jawaabaya su'aashaan ayaa yiri: "Dhawr jeer ayaan booqday magaalo xeebeedka Mombasa oo ay ku nool yihiin jaaliyad Soomaaliyeed oo aad u ballaaran, una baahan dhammaan adeegyadii safaaradeed. Kaddib ayaan dawladdihii kala duwanaa ee aan la soo shaqeeyey ugu baaqay in qunsuliyad aan ka furno Mombasa, sababtoo ah bulshadaas tirada badan ee Mombasa deggan ma heli karin dhammaan adeegyadii ay uga baahnaayeen safaaraddooda ku taal Nairobi, waa inay u soo safraan Nairobi.

Sidoo kale in xaafadda Eatleigh, Nairobi oo ay Soomaalida ku badan tahay laga furo xafiis dadku baasaboorada ka codsadaan iyo adeegyada kale oo u baahan yihiin, kana qaadan karaan. Haddaba aniga oo arrintaas ka duulaya ayaan dhawr jeer ku soo daray ajandayaasha safaaraddayda muhiimka u ah, nasiib darase xukuumadihii isbadalay oo dhan waxba kama qaban."

Danjire Maxamed isagoo hadalkiisa sii wato ayaa yiri "Tan iyo intii aan qabtay xilka waxaan isku dayayey inaan codsiyadaas u gudbiyay saddexdii dawladood oo aan la soo shaqeeyey, oo kala ahaa:

1. Dowladdii Madaxweyne Cabdullaahi Yuusuf Axmed (Allaha u

naxariistee) 2004-2008

2. Dawladdii Madaxweyne Shiikh Shariif Shiikh Ahmed 2009- 2012
3. Dawladdii Madaxweyne Xasan Shiikh Maxamuud 2012-2016

Xil wareejintii safaaradda

Danjire Maxamed Cali Nuur (Ameeriko) uu ka hadlaayo xil wareejintii, ayaa yiri: "Waxaan xilka safiirnimo hayey laga soo bilaabo 2007dii ilaa 2015kii, waxaan 2015kii ku wareejiyey xilka qunsulkii safaaradda Siyaad Maxamuud Shire. Madaxweynaha Kenya xilligaas mudane Uhuru Kenyatta ayaa xaflad sagootin ah iigu sameeyey aqalka madaxtooyada ee Nairobi, isagoo aad u bogaadiyey xiriirka Soomaaliya iyo Kenya doorkii intii aan safiirka ahaa ka soo qaatay, iyadoo xafladaas sagootinta ahna ay saraakiishii ka soo qayb gashay ay ka mid ahayd Wasiirka Arrimaha Dibadda ee Kenya, Marwo Danjire Aamina Maxamed Jibriil iyo saraakiil kale."

Danjire Maxamed Cali (Ameeriko), waddanka Kenya iyo shacabkooduba waxay u hayeen xushmad sare, taas waxaa ku tusaya hadalkii uu xafladda sagoontinta ka yiri.

Danjire Maxamed oo ka warramaya arrintaas hadalladiisii waxaa ka mid ahaa:

"Ereyadii aan is dhaafsanay Madaxweyne Uhuru Kenyatta waxaa ka mid ahaa, in aan uga mahadceliyay dawladda Kenya iyo muwaadiniintooda sidii wanaagsanayd ee ay u soo dhoweeyeen qaxootigii Soomaaliyeed, ganacsatada Soomaaliyeed iyo sidii ay fursad noogu siiyeen qayb waynna ka qaateen in dalkooda lagu qabto shirkii dib u heshiisiinta ee Embagathi ee sannaddii 2004tii, kaas oo lagu soo doortay xildhibaanno, kaddibna ay doorteen Madaxweyne Cabdullaahi Yuusuf Axmed (Allaha u naxariistee), isna uu Raysul Wasaare u soo magacaabay Mudane Cali Maxamed Geeddi. Dawladaas ku meel gaar ka ahayd oo gogol xaar u noqotay doorashooyinkii ka dambeeyey oo ka dhacay gudaha Soomaaliya".

Madaxweyne Cabdilaahi Yuusuf Axmed(AHUN) iyo Raysal Wasaare Cali Maxamed Geedi, 2005.

Waa danjiraha iyo Raysulwasaare Cali Maxamed Geeddi oo Baydhabo dhex lugaynaya, 2006.

Danjire

Waa danjiraha oo la fadhiya Allaha u naxariistee Madaxweyne Cabdullaahi Yuusuf Axmed, Nairobi 2007.

Waa Madaxweynaha Kenya Mwai Kibaki oo waraaqihii aqoonsiga ka aqbalayo danjire Maxamed Cali Nuur (Ameeriko), 19kii Oktoober 2007.

Waa danjiraha oo la sawiran saaxiibkiis qunsulkii safaaradii Soomaalida ee Kenya Maxamed Cusman Adan (Edson) Allaha u naxariistee, oo labadooda lagu daawaynayay Roma, 2010.

Safiirka oo u doodaya dadkii Soomaaliyeed ee lagu soo xareeyey garoonka Kasaraani, Nairobi, 2014.

Danjire

Danjire Maxamed Cali (Ameeriko) oo dhegaysanaayo hooyo ka hadlaysa duruufaha iyo dhibaatooyinka ay ku noolyihiin xerada qaxootiga Kakuma, Kenya, 2009.

Danjiraha oo buugag ka qaybinaaya xerada qaxootiga ee Kaakuma, 2012.

Danjire

Waa Garoonka Aadan Cade ee Muqdisho oo danjiraha ka dejinayo dadkii laga soo daayey Kasarani, 2014.

Safiirka oo kormeeraya imtixaanaadka ardayda deeqaha waxbarasho helay ay ku gelayaan safaarada Soomaliya ee Nairobi, 2011.

Danjire

Danjire Maxamed Cali iyo Wasiirkii Wasaaradda Hidaha iyo Tacliinta Sare mudane Dr. Cabdinuur Shiikh Maxamed oo si wada jir ah u booqonaya ardayda imtixaanaadka u fadhisanaya, 2011.

Arday ka mid ah ardada imtixaanka ku galaayay safaaradda, 2011.

Danjire

Alle ha u naxariisto Saado Cali Warsame iyo danjire Ameeriko, guriga safaarada Soomaliya ee Nairobi, 2011.

Ambassador Mahiga, Wasiir Cabdinuur iyo Danjire Ameeriko, guriga safaarada Soomaliya ee Nairobi, 2011.

Danjire

Waa danjiraha oo ay la socdaan Allaha u naxariistee Edson, oo gadaal ka soo socdo iyo qareenki (Lawyer) Fred dhulka safaaradda loo qabtay, oo maxkamadda guul kala soo dareeray, Nairobi, 7dii December 2010.

Waatan safaaraddii oo dib looga taagay calankii Soomaaliya, Nairobi 2010.

Danjire

Danjiraha iyo qaar ka mid ah jaaliyadda Soomaaliyeed ee Kenya oo taagan iridka guriga safaaradda ee dib loo soo celiyey, 7dii December, 2010.

Waa danjiraha oo maxaabiis Soomaliyeed ku booqanaya xabsiga Mombasa, 2013.

Danjire

Danjire Cali Ameeriko, wariye Maxamed Ilkacase iyo Cabdulqadir Jaylani oo la sawiran maxaabiistii Soomaaliyeed ee ku xirnayd Mombasa, 2013.

Waa safiirka oo maxaaabiista salaadda jimce kula tukanaya xabsiga Shima La Tewa ee Mombasa, 2013.

Danjire

Waa danjiraha oo dhexfadhiya xarunta dhaqanka, cilmi baarista iyo akhriska Aw Jaamaac Cumar Ciise. Waxaa sawirka kula jira koox dhallinyara ah oo uu ka mid yahay Cabdirisaaq Cirro oo ka mid ah aasaasayaasha xarunta, Nairobi, 2010.

Danjire Maxamed Cali (Ameriko), fanaan Axmed Naaji Sacad, fanaanin iyo qaar ka mid jaaliyaada Soomaliyeed ee Nairobi oo 1 July 2013, u dabaaldegaya xorriyada iyo midowga Soomaliya ee kowda July.

Danjire

Waa danjire Ameeriko iyo saaxiibki danjire Tifoow, Muqdisho, 2013.

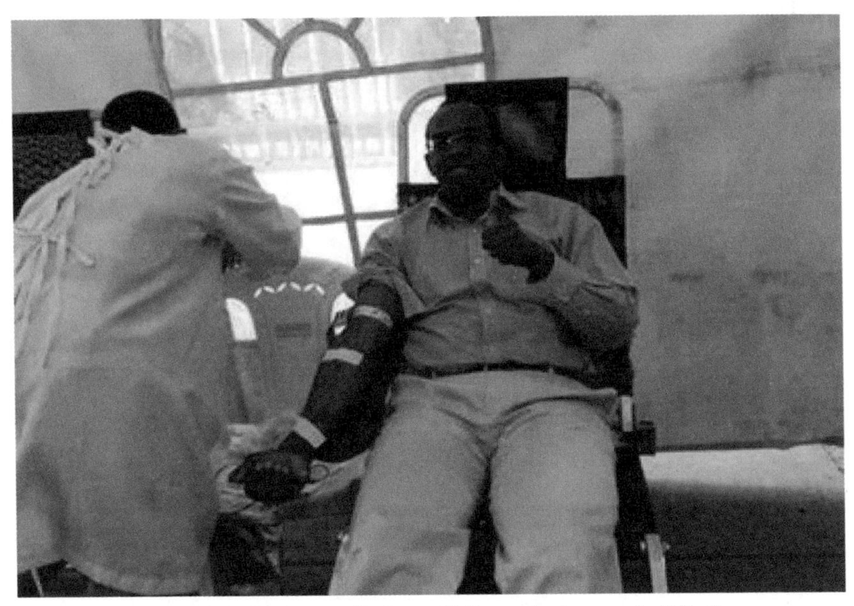

Danjire Maxamed Cali (Ameeriko) oo dhiig u shubaaya dadkii dhaawaca ka soo gaaray weererkii West Gate ee Nairobi, 2013.

Danjire

Danjire Maxamed Cali (Ameeriko), oo ka soo kabanaaya dhaawac ka soo gaaray shil gaari, gegida diyaaradaha ee Mombasa ku soo dhowaynayaa Madaxweyne Xasan Shiikh Maxamud 2013.

Danjire Maxamed Cali (Ameeriko), Raysul Wasaare Mudane Cabdiwali Shiikh Axmed iyo Madaxweyne ku xigeenka Kenya Mudane Ruuto, Nairobi, 2014.

Danjire

Danjire Ameeriko oo bugle la ciyaarayo caruurta ku nool xerada qaxootiga ee Kaakuma, 2012.

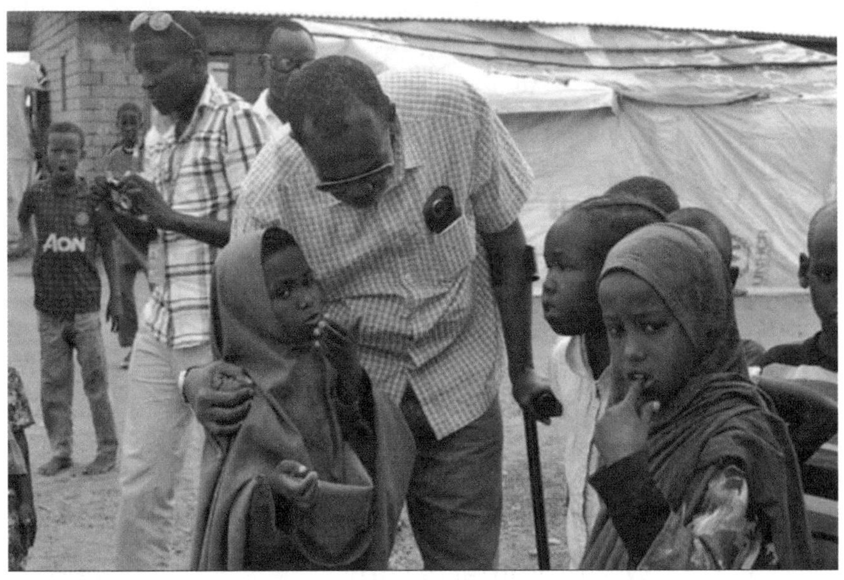

Danjiraha oo dhegaysanaayo baahida ay qabto gabar yar oo ku nool xerada qaxootiga ee Kaakuma, 2012.

Danjire

Amiin Amir oo farxan ku soo bandhigay waxqabadkii danjire Maxamed Cali Nuur (Ameeriko).

Danjire

Madaxweynaha Kenya Uhuru Kenyatta oo sagootitinaayo Danjire Mohamed Ali (Ameeriko), Danjire Aamina Mohamed, Wasiirka Arrimaha Dibedda, iyo agasiimaha guud ee wasaaradda arrimaha dibadda Kenya Karanja Kibicho, Madaxtooyada Nairobi, 2015.

CUTUBKA

CUTUBKA 7

SAMAFALKA IYO KA QAYB QAADASHADA ARRIMAHA BULSHADA

Danjire

Samafalka iyo ka qayb qaadashada arrimaha bulshada

Qoyska Danjire Maxamed Cali Nuur (Ameeriko) waxay ahaayeen dad aad ugu dadaala taakulaynta dadka kaalmada u baahan, iyadoo waalidka qoysku (AHUN) Aabe Cali Nuur (Ameeriko) iyo Hooyo Xaawo Muudey Gacal ahaayeen dad gacan qabta kuwa mar kasta baahan, nugul, kaalmada u baahan.

Deegaanka Ceel Cirfiid oo ah duleedka Muqdisho, oo ku yaal wadada aada dhinaca degmada Balcad ee gobolka Shabeellaha Dhexe, waa degaan xoolo daaqeen barwaaqo ah, iyadoo goobta biyo laga heli karo ay aad uga fog yihiin, ayaa dadku waxay biyaha ku raadsan jireen dameero, iyada oo mararka qaar biyaha lagu keeni jirey saacado badan.

Danjire Maxamed Cali Nuur ayaa u istaagay inuu ceel biyood ka qodo deegankaas, waxayna hirgashay arrintaas sanadkii 2008dii, qodista ceelkaasi waxay qaadatay muddo lix bilood ah, ceelkaas oo ilaa hadda shaqeeya, shidaalka ceelkaas ku baxa waxaa weli si joogto ah u bixiya qoyska danjiraha, iyadoo dadka iyo xooluhuba ay si lacag la'aan ah biyaha uga cabaan, ilaa wakhtigaanna cilad bixintiisa iyo taakulaynta kale ee ceelkaasi u baahdo gacanta ayey ku hayaan.

Waxaa keenay in ceelkaan goobtaas laga qodo, iyadoo ahayd oomane, markii ceelka laga hirgeliyeyna deegaankii wuxuu noqday mid la isugu soo hayaamo, xoolo dhaqato badanna ay u soo guurtay, sidoo kale dad barakacayaal ah oo gobollada wadanka iyo Muqdishaba ka soo barakacay ayaa soo degay, wuxuuna degaankii noqday degmo balaaran oo dad badani soo camiraan, iyadoo ceelkaasi u noqday goobta ay dugsanayaan.

Qoysaskii badnaa ee soo degay iyo kuwii horay u deganaa carruurtoodii waxay noqdeen kuwo aan waxbarasho ku haysan deegaanka, iyadoo goob waxbarasho ay ka heli karaan ahayd Muqdisho oo 15km qiyaasta

Danjire

u jirta.

Baahidaan markuu arkay danjiruhu, wuxuu u bandhigay carruurtiisa, si wax looga qabto waxbarasho la'aanta ka jirta deegaankaas. Isagoo taas uga gol leh inuu baro ilmihiisa inay muhiim tahay markasta ka qayb qaadashada arrimaha samafalka ee bulshada lagu gargaarayo.

Arrintaani markuu arkay safiirku wuxuu go'aansaday in la helo goob waxbarasho, taasina waxay keentay inuu dhiso iskuul ka kooban afar qol, oo loogu tala galay 90 carruur inay wax ku bartaan.

Safiirka oo arrintaan ka sheekaynaya ayaa yiri: "Markaan dhisnay qolalkii waxaan ka shaqaalaysiinay dugsiga saddex macalin iyo maamulaha iskuulka. Maalintii ugu horaysay ee la furay iskuulka waxaa is diwaan gelintii u timid in ka badan 200 arday, taasina waxay nagu noqotay lama filaan".

In xal ay arrintan u helaan waxay dantii ku khasabtay in maamulkii ay soo jeediyaan in gelin hore iyo gelin danbe laga dhigo waxbarashada iskuulka, macalimiintana la kordhiyo.

Odayaashii iyo dadkii deegaanku aad ayey ugu riyaaqeen, waxaa loo bixiyey dugsiga hoose, dhexe iyo sare ee Yaasmiin, magacaan oo ay lahayd gabadhii danjire Maxamed Cali Nuur (Ameeriko) uu dhalay ee la dilay sanadkii 1992[dii].

Baahida kale ee degaankii Ceel Cirfiid qabeen waxay ahayd inaysan jirin goob caafimaad, iyadoona haweenka umulaya iyo dadka arrimaha degdegga ah qaba Xamar loo qaado si loogu soo daweeyo, taasi waxay keentay inay qoyska danjire Maxamed Cali (Ameeriko) ay ka hirgeliyaan saddex qol oo xarun daryeelka (MCH) oo lagu daaweeyo dhallaanka, hooyooyinka iyo dadka u baahan daawayn deg deg ah.

Xarunta waxay caawisaa hooyada uurka leh, dhalmada, talaalka carruurta iyo daaweynta bukaan socodka, iyadoo ay u sii gudbiso dadka markaas liita isbitaallada Muqdisho. Arrintaani waxay noqotay qayb kale oo muhiim ah oo wax weyn ka tartay nolosha dadka degaankaas.

Danjire Maxamed Cali (Ameeriko) iyo qoyskiisu ilaa hadda iyagaa bixiya kharashaadka ay ku socdaan iskuulka, MCHka iyo ceelka biyaha, iyadoo ay bilkasta diraan dhaqaalaha lagu socodsiiyo, mushaharka, shidaalka iyo adeegyada bulshada ee deegaanka, iyagoona diyaar u ah inay sii wadaan iyo inay iskuulaad kale ka furaan degmooyinka kale ee u baahan iskuulaad.

Hadda deegaankii Ceel Cirfiid waa goob deegaan rasmiya noqotay oo leh adeegyadii bulshada, iyadoo tirada hadda ugu badan ee dhigtaa ay yihiin gabdho.

Dadka degan degaanka Ceel Cirfiid oo arrimahaan siday noloshooda wax uga bedeleen ka waraysanay. Waa mid ka mid ah ardayda wax ka soo bartay dugsiga hoose, dhexe iyo sare Yaasmiin ee Ceel Cirfiid, Cabdullaahi Xassan Maxamed oo 12 jir ah wuxuu ka faa'iidaystay waxbarashada lacag la'aanta ah ee looga furay deegaanka Ceel Cirfiid. Isaga iyo arday gaaraysa 200, oo 120 gabdho yihiin, isaga iyo qoyskiisa deegaanka waxay ku yimaadeen barakac, markii xoolihii ay haysteen ay kaga dhamaadeen miyiga Shabeellaha Dhexe, waxayna soo degeen degaankaas 2010.

Ardada waxaa la baraa maadooyinka, qur'aanka, af Soomaaliga, xisaabta, sayniska iyo cilmiga bulshada waxay iskuulka dhigtaan shan saac iyagoo sida iskuullada kale dhigta shan maalmood todobaadkii.

Cabdullahi Xassan Maxamed ayaa yiri: "Waa markii iigu horaysay oo aan wax barto, waxaan marayaa bilowga, waxaan rabaa in ilaa jamaacad gaaro, kadibna aan noqdo dhakhtar dadka daweeya, oo cisbitaal furto, aad iyo aad ayaan ugu faraxsanahay iskuulkaan, waan u ducaynayaa ciddii gacan ka geysatay."

Markaad aragto hadalada ardaygaan iyo kuwo kale oo badan oo iskuulka dhigta waxaad dareemaysaa sida mustaqbalkoodu u leeyahay rajo, iyagoo ku nool goobo ay adkayd sanado ka hor in xarun waxbarasho laga helo.

Danjire Maxamed Cali (Ameeriko) ayaa sheegay in dad Soomaaliyeed oo dibadaha iyo gudaha jooga ay meelo kala duwan kala soo xiriireen, si ay gacan uga geystaan adeegyadaan. Waxaana hadda adeegyadaan maamula dadka degan Ceel Cirfiid.

"Dadka u baahan gargaar, ama inaad hir geliso wax saamaynaya nolosha mustaqbal ee dadka, waa adeegga u baahan in markasta la joogteeyo, adeegyada kala ah ceel, dugsi iyo xaruun caafimaad, waa kuwo ay ahayd in dawlad qabato, laakiin maqnaanshaha dowlad awood leh, ayaa keentay inay dayacmaan waqti dheer, haddii dadka Soomaaliyeed iskaalmaystaan wax badan ayey qaban karaan." ayuu yiri danjire Maxamed Cali Nuur (Ameeriko).

Talaabooyinkaan ayaa tusaale u noqday deegaano kale oo u dhow Ceel Cirfiid, waxaana iyana laga hirgeliyey adeegyadaan oo kale.

Danjire Maxamed oo ku sugan dalka dibediisa ayaa bishii Oktober 2019kii waxaa fariin u soo diray wiil jooga Muqdisho, oo Muqdisho ka dhigto jaamacad bartana aqoonta dhaqaalaha.

Wuxuu ula soo xiriiray inuu u mahadceliyo danjiraha, wuxuu ka mid ahaa ardaydii ugu horraysay ee ku biirtay dugsiga Yaasmiin ee Ceel Cirfiid. Tan iyo mudadii dalku burburka ku jiray waxaa adeegyadii dawladdu qaban jirtay ee waxbarashada, caafimaadka, biyaha iyo taakulada ay noqdeen kuwo banaanaaday, waxaa wax ka qabanayey hay'addaha gargaarka iyo dad Soomaaliyeed oo si iskaa wax u qabso ah ugu tabarucayey, inkastoo marar badan hawlo la qabtay ay haddana dib u hakadeen joogtayn la'aan, laakiin Danjire Maxamed Cali hawsha uu kaga qayb qaatay adeegyada samafalka ee dhinaca bulshada waa mid joogto noqotay tan iyo intii la hirgeliyey.

Danjire

Danjire Maxamed Cali (Ameeriko) oo buug u aqrinaaya ardada wax ka barata dugsiga Yaasmiin, 2015.

Qaar ka mid ah ardada wax baranaysa, dugsiga Yaasmin, 2015.

Danjire

Waa qaar ka mid ah ardayda wax ka barata dugsiga Yaasmiin, 2015.

Macalimiinta iyo ardada dugsiga Yaasmin oo geedo ku abuuraayo dugsiga, 2019.

Danjire

Dibudhis lagu sameeyay Dugsiga hoose, dhexe iyo sare ee Yaasmiin, 2018.

Danjire Maxamed Cali (Ameeriko) oo ay la socdaan Qasim Furdug, Gudoomiyaha degmada Balcad, Abshir Kaaraan, Gudoomiye ku xigeenka degmada Heliwaa, Yaasin Maaxi, macalimiinta iyo waalidiinta aradada wax ka barata dugsiga Yaasmiin, ayaa furay dibudhiska dugsiga Yaasmiin, 2018.

CUTUBKA 8

SOCDAALKA NABADDA EE DANJIRE MAXAMED CALI NUUR (AMEERIKO)

Danjire

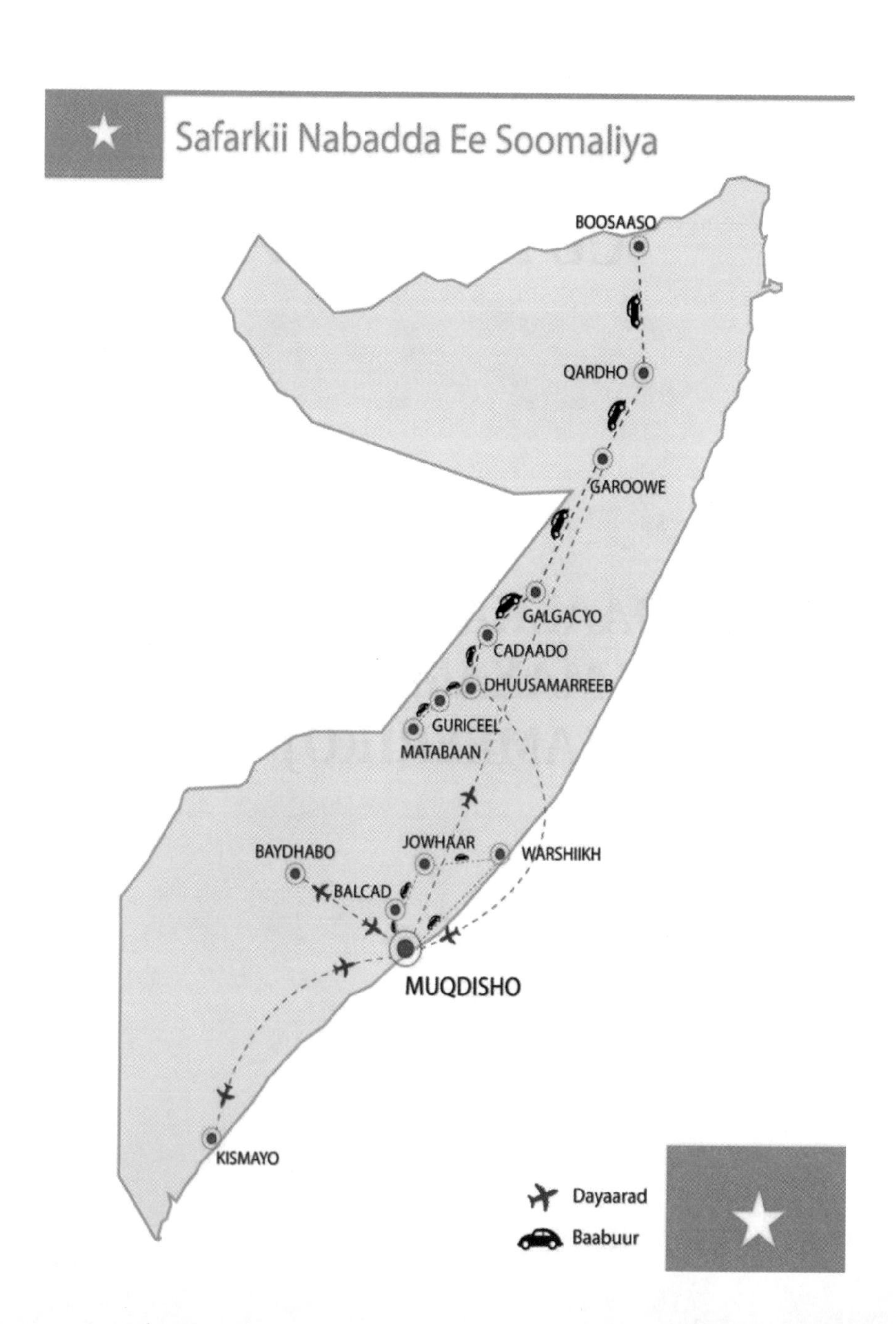
Safarkii Nabadda Ee Soomaaliya
BOOSAASO
QARDHO
GAROOWE
GALGACYO
CADAADO
DHUUSAMARREEB
GURICEEL
MATABAAN
BAYDHABO
JOWHAAR
WARSHIIKH
BALCAD
MUQDISHO
KISMAYO
Dayaarad
Baabuur

Danjire

Socdaalka nabadda ee danjire Maxamed Cali Nuur (Ameeriko)

Maxay ahayd farriinta uu xambaarsanaa "Socdaalka Nabadda" ee uu waday danjire Maxamed Cali Nuur (Ameeriko)?

Danjiraha oo ka jawaabaya su'aashaan wuxuu yiri: "Ujeedada ugu weyn ee aan ka lahaa wuxuu ahaa in dalka laga sameeyo is cafis ballaaran oo dadka oo dhan gaara iyo dib u heshiisiin, iyada oo la isu keenayo ruuxa wax tabanaya iyo kan laga tabanayo. Soomaaliya dad baa is dilay, kuwaa hanti kala dhacay maal iyo mood ba leh oo ilaa hadda ay ka maqan yihiin. Farriintaydu waxay ahayd in maamulladu bilaabaan oo xaafad xaafad iyo tuulo tuulo loo soo xalliyo. Mar walba waxaa isu yimaado odayaal, hase yeeshee dadkii dhibanayaasha ahaa iyo kuwii dhibka geystay waligood la isuma keenin".

Danjire Maxamed, intii uu xilka safiirnimo hayay iyo intii uu shaqadiisa gaarka ah hayayba, wuxuu maanka ku hayay sidii uu mar dhulkiisa oo dhan u soo mari lahaa, oo bulshadiisa u ogaan lahaa dhib iyo dheef wixii ay qabaan.

Danjiraha wuxuu maanka ku hayey guurowgii uu tiriyey AHUN Laashin Maxamed Gacal Xaayow, guurowgaan magaciisa waxaa la yiraahdaa: "Uurka ka heshiiya". Waa guurow uu Soomaalida kula hadlaayo, isuguna jiro nabad, waano, wacdi diineed iyo dardaaran. Wuxuu ku bilaabay:

Aasaaska noloshiyo naftii, lagu ammaaneeyay

Ibliiska iyo sheyddaanka waa, laga ilaalshaaye

Ashahaadda ruux laga helee, ehulu towxiida

Awaamiirta lays faray inuu, oofiyaa wacane

Iimaanka lixa Eebbehey, kuma addeecdaane

Dadka ul iyo diir kama dhigtaan, uurka wada yiile

Danjire

Is la dhalashadiinna ba indhaha, waa ka dadabtaane

Ummadyahey haddaad ehel tihiin, uurkaka heshiiyoo

Alla ka cabso Soomaaliyeey, Eebbeheey megenee

Isirka iyo faracaaga waa, loo abtiriyaa'e

Siirada abkaa odayadaa, Laga tixraacaahe

Oraahdiyo sarbeebtaa murtida, lagu adkeeyaahe

Afar gadawle awrkaaga waa, lagu aroorshaahe

Is-jinta ba marbaa laga dhigaa, oori maharkeede

Aqal bari u jeedaa gebdhaha, lagu aroosaaye

Oollimaadka dhaqankeenni hore, udub dhexaadkiise

Idinkoo ogaal u leh fudeyd, kuma illowdeene

Aqligaa ibliis idinka xaday, aamusnaa jiraye

Ood filigta moogiye wax kale, kuma adeegtaane

Eedaad qabiil kama baxdaan, aana doqoneede

Ummadyahey haddaad ehel tihiin, uurka ka heshiiyo

Alla ka cabso Soomaaliyeey, Eebbeheey megenee

Aarmiga wax dila iyo intey, uburu qiiqeydo

Inta uur ku taalladu halkii, ka amba qaadeydu

Aafaha magaada intey, agabtu noo taallo

Alabaabada qaxootiga intuu, ubad ka ooyaayo

Aqli kala fog maankii intuu, noo arriminaayo

Inta ayax tagyee eelki heray, ubixi leefaayo

Inta ummadda Soomaaliyeed, iniba meel joogto

Ifa faallo loo bogay indhaha, loogu furi maayo

Dadka aaminsane yay mar kale, idin ka eed sheegan

Danjire

Argagixiso umma baahnin iyo, urugu ciilkeede
Ummadyahey haddaad ehel tihiin, uurka ka heshiiyoo
Alla ka cabso Soomaaliyeey, Eebbeheey megenee

Ummadyahey adduunyada dad-baa, eeda soo marayo
Waxaan la arki jirin maahan iyo, xaaja noo ugube
Ogaanshaba waxaa nooga filan, Bini Israa'iile
Nabi Muuse aabiga fircoon, kuma af dhaafeene
Wuxuu yiri waxaan ahay, Ergagi Eebbe soo diray'e
Aayaatil-laahigi markow, ka oggolaan waayay
As-takooyinkiisii Rabbigey, eray ku gaarsiiyay
Goortii laga aqbalay maalintii, loo Insha'Alleeyay
Arbaciin sanaa laga war sugay, Eegge dabadiiye
Ilaahnimo la sheegtiyo markuu, amarki beenoobay
Ashahaadu taag waay markii, lala imaan waayay
Baddoo lagu ahligu iyo afkoo, dhooba laga saaro
Aroortey kulmeen baa fircoon, oodda loo rogay'e
Ma oggolin Alleylehe inaad, belo abuurtaane
Ummadyahey haddaad ehel tihiin, uurka ka heshiiyoo
Alla ka cabso Soomaaliyeey, Eebbeheey megenee

Haddey urursan tahay waajibyada, kama il duufteene
Agoonta iyo maatida madfaca, lagu asqaynaayo
Ehelka iyo sokeeyaha xumaha, kala ammaahaaya
Abaartaya colaadaha arriga, gees walba ekeeyay
Orrexeedka nagu saa'idiyo, omoska jiilaalka
Alaalaxa albaabada gurtaye, ooga bahaloobey

Danjire

Iyo kuwa is baaradadhigtee, araxda kaa toogta
Ibni Aadamkaa laga dhaxloo, soo aruuriyaye
Iimaanki tiirkiisi baa, aaf ka soo ruqaye
Nabsi ooman baa nagu habsadey, waa abaal marine
Ewelkeedi iyo aakhirkiyo, Aayadi diinta
Shanti udube Eebbeheey dhisaad, ka asal guurteene
Ummadyahey haddaad ehel tihiin, uurka ka heshiiyoo
Alla ka cabso Soomaaliyeey, Eebbeheey megenee

Islaannimiyo wow baahan tahay, dhaqan asluubeede
Awliyo duceydiyo ma helin, culuma' u diine
Aaqiibo taliyaal ma helen, odaya beeleede
Aqoonyahanna laabta umma culin, waa indheer garade
Halabuur wax sheegiyo abwaan, eraya gaarsiiya
Iyo aaqil sama doonehee, kala eryey wayde
Immaan iyo Ugaas iyo Suldaan, duul la ula saarto
Inta ehel karaama leh bulshada, ugu awood roone
Dadku ka hor imaan karin, wixii aamusiyay moogi
Waxa loo alkumay waa inay, olol bakhtiiyaane
Isimada la xulay waa bulshada, udub dhexaadkeede
Mar haddaan la arag waa adduun, aakhir sabankiiye
Ummayahey haddaad ehel tihiin, uurka ka heshiiyoo
Alla ka cabso Soomaaliyeed, Eebbeheey megene

Eebboow abaar iyo colaad, ka Alla tuuggeeda
Cid kaloo awood u leh, arjiga kuma lifaaqeene
Adigaa irmaaney yaqaan, ibaha xoolaade

Danjire

Addoomada ammaanada gutee, ehelu towxiida

Adigaa abaalkooda guda, yowmal aakhirada

Abtirsiino Soomaalidaan, ehel wadaagnaaye

Eebboow ayaamaha abshira, saacatul ijaabo

Ee colaadda lagu soo afjaro, ummaddaniis raacsha

Ee ammuurihii kala dhex maray, wada illowsiiya

Ee ilayskii nabadeed iftiin, oogta ka hillaacsha

Eebbow Allahayow inaad, nagu iraaddeyso

Ee albaabka kheyrka leh indhaha, noogu kala qaaddo

Ummadduu yabooh waa digii, ammarka weynaayee

Muddadii dheereyd ee uu danjiraha u ahaa Soomaaliya ma heli karin waqti uu ku fuliyo hamagiisii sarraysay. Haddaba markii xilkii safiirnimo uu wareejiyey wuxuu helay fursad qaali ah, oo u ogolaatay xaqiijinta yoolkiisii sannado badan maskaxdiisa ka guuxaysay.

Socdaalkii nabadda wuxuu ahaa hal abuur uu la yimid Danjire Maxamed Cali (Ameeriko), waana calaamad tilmaamaysa awoodda rabbaaniga ah ee hoggaamiyeed ee uu leeyahay.

Muqdisho

Danjire Maxamed Cali (Ameeriko) socdaalkiisa nabadda wuxuu ku bilaabay caasimadda Soomaaliya ee Muqdisho. Wuxuu salaan sharaf ugu tegey guriga Malaaq Cali Malaaq Maxamed oo ka mid ah duubabka Soomaaliyeed. Waxaana uu uga waramay doonistiisa uu ku doonayo inuu bilaabo socdaal nabadeed oo uu ku kala bixinaayo gobollada wadanka, imaanshihiisa Muqdishana ay tahay bilow. Wuxuuna safiirku ugu baaqay Malaaqa inuu qaybtiisa kaga aadan ka qaato nabadeynta dadka Soomaaliyeed, malaaquna arrintaas aad ayuu u soo dhoweeyey.

Danjire

Socdaalka nabadda in danjiruhu ka bilaabo Muqdisho waxaa ugu wacnaa dhawr sababood, oo kalaa aha:

I. Muqdisho waa madaxii iyo calooshii waddanka, waana albaabka rasmiga ah ee laga galo waddan ama looga baxo.

II. Muqdisho waxaa ku nool tirada ugu badan ee bulsho Soomaaliyeed ee meel wada degan.

III. Muqdisho waa ubucda waddanka marka laga eego dhinacyada; siyaasadda, dhaqaalaha iyo bulshada ee waddanka.

IV. Muqdisho waa halkii xuduntiisu taalay ee uu ku dhashay, ku barbaaray, wax ku bartay, ku guursaday, oo waliba ku ilmo dhalay.

V. Muqdisho waxaa ku yaalla meelo qadiimi ah oo uu yaraantiisii xiisayn jirey, taas oo cawada iyo cimrigu ku simeen in uu dib waqti fiican ugu helo.

Danjiraha oo arrintaas ka hadlaya ayaa yiri: "Socdaalkayga waxaan ka bilaabay magaalada madaxda Soomaaliya ee Muqdishu. Markii aan Xamar imid waxaan booqday dhammaan goobaha magaca iyo muunadda ku leh magaalada sida xaafadda boondheere, gaar ahaanna, goobta xiisaha badan ee "kabdhood" ee toog barashada gamuunka, xeebta liido, cisbitaalki aan ku dhashay, dugsiyadi aan dhigan jiray, gurigii aan ku soo barbaaray iyo meelo kale." Danjiraha oo hadalkiisii sii wata ayaa yiri: "Boondheere waxaan kula kulmay odayaal aan xitaa dagaalkii sokeeye ka saamayn dhinaca ciyaarahooda dhaqanka fog ku qotoma. Odayaashaas maalin walba casarkii marka ay salaadda soo tukadaan ilaa iyo maqribkii ayay gamuunkaas tuurtaan oo ku tartamaan."

Danjire

Jubbaland

Danjire Maxamed Cali (Ameeriko), markii uu dhammaystay socdaalkiisii Muqdisho ee ahaa bilowgii "Socdaalka nabadda", wuxuu ku xijiyey magaalada Kismaayo oo ahayd magaala madaxda ku meel gaarka ah ee maamul goboleedka Jubbaland. Tagiddiisa gobolka Jubada Hoose waxay lahayd ujeedooyin siyaasadeed iyo kuwo bini'aadannimo labadaba. Dhanka kale waxaa ayaamahaas dhashay maamulkii Jubbaland oo curdan ahaa, una baahnaa taageero siyaasadeed iyo mid bulshaba.

Haddaba Danjire Maxamed Cali wuxuu dhulkaas kala kulmay soo dhaweyn qiima leh, iyada oo masuuliyiin sarsare oo maamulka ka tirsan ay ku soo dhaweeyeen gegida diyaaradaha ee Kismaayo, kaddibna loo gudbiyey qasriga madaxtooyada Jubbaland looga arrimiyo oo uu si wanaagsan ugu soo dhoweeyay Madaxweynaha maamul goboleedka Jubbaland mudane Axmed Maxamed Islaan (Madoobe).

Mudadii uu safiirku Kismaayo joogay wuxuu u dhabagalay nolosha shacabka magaalada iyo agagaarkeeda ku dhaqan. Wuxuu booqashooyin ku tagay xoola dhaqatada ku teedsan cirifka magaalada. Danjiraha oo ka sheekaynaya isaga iyo saaxiibo la socday oo u tagay dad xoolo raacato ah ayaa yiri: "Galab ayaan baxnay oo aan u tagnay xoolo dhaqato degan miyiga Kismaayo. Aniga waxaan xiisaynayey inaan soo bandhigo inay waddanka ka jirto nolol kale oo xiiso badan, oo aan ahayn dagaalo keliya. Markii aan miyiga tagnay waxaan u nimid wiil yar oo ari la jooga. Waxaan ka codsaday wiilkii yaraa inaan sawir isaga qaado anigoo dhex taagan ariga oo isaga la sheekaysanaayo, balse markaan ariga u dhawaadaba waa iga sii didaa. Wiilkii yaraa baan ku iri: adeer arigu muxuu iiga cararayaa. Wuxuu iigu jawaabay adeer baraafuunkaad marsantahay ayuu ka cararayaa!".

Danjire Maxamed Cali (Ameeriko) intuusan ka soo tegin Kismayo waxaa xaflad balaaran u qabtay Madaxweynaha maamul goboleedka Jubbaland mudane Axmed Maxamed Islaan oo ugu mahad celiyay sida wanaagsanayd oo ugu shaqeeyey safaaradda Soomaliya ee Kenya intuu safiirka ka ahaa iyo taakulayntuu siin jirtay jaaliyaada Soomaaliyeed ee ku nool Kenya. Ugu dambaynti Madaxweynaha maamul goboledka Jubbaland mudane Axmed Maxamed Islaan wuxuu danjire Maxamed Cali (Ameeriko) gudoonsiiyay hadiyad aad u qiimo badan.

Koofur Galbeed

Socdaalkii danjire Maxamed Cali (Ameeriko) meelaha uu gaaray waxaa ka mid ahayd magaalada madaxda ku meel gaarka ah maamul goboleedka Koofur Galbeed ee Baydhabo, halkaas oo bulshada iyo maamulka Koofur Galbeedba si wada jir ah ugu soo dhaweeyeen. Danjire Maxamed markii uu gaaray magaalada Baydhabo, waxaa la dajiyey Madaxtooyada Koofur Galbeed, waxaana halkaas ku qaabilay qaybaha kala duwan ee maamulka oo uu hor kacayay Madaxweynaha maamul goboleedka Koofur Galbeed mudane Shariif Xasan Shikh Aadan.

Madaxdii maamul goboleedka Koofur Galbeedka danjiraha waxay u diyaariyeen koox dhallinyaro ah oo dal yaqaanno ah oo dhulka iyo goobaha muhiimka ah safiirka ku soo wareejiya, iyaga oo danjiruhu booqashadiisa ka bilaabay "Isha Baydhabo". Danjiraha oo ka sheekaynaya ayaa yiri: "Markaan arkay isha baydhabo waxaan soo xusuustay hees aan ilaa yaraantaydii jeclaa ee uu qaadi jiray fanaanka Xasan Aadan Samatar oo ahayd "Bardihii ku yiilay isha baydhabo…".

Meelaha sida gaarka u soo booqdaydanjiraha waxaa ka mid ahayd buurta qurxoon ee "Daynuunay". Danjire Maxamed Cali (Ameeriko) muddadii uu joogay Baydhabo waxaa loo qabtay xaflad weyn oo lagu maamuusayey shakhsiyaddiisa, fikirkiisa socdaalka nabaddana lagaga dhegaysanayey.

Waxaa xusid mudan in dadweynihii xafladda yimid ay aad uga heleen markii danjire Maxamed Cali Ameeriko uu khudbaddiisa ku bilaabay lahjadda af mayga, iyada oo aysan dadweynuhu taas filayn. Wuxuu yiri

Danjire

isaga oo dadka reer Koofur Galbeed la hadlaya: *"ka farahsani intii ana kooyo Baydhabo. Si fayle la' ha iindhawaayi, madahdi iyo sha'abkaba. Waywede farriin nadadeed iyo is'afiyoy, waana siin mahadnagee".*

Madaxweynaha maamul goboleedka Koofur Galbeed mudane Shariif Xasan Shikh Adan ayaa danjire Maxamed Cali Nuur (Ameeriko) ugu mahadceliyay howsha wanaagsan uu u qabtay dowladiisa iyo jaaliyaada Soomaliyeed ee ku nool Kenya gaar ahaan dadaalka wayn oo uu u galay soo celintii gurigii safaarada ay ku lahayd Nairobi kaddibna uu guddonsiiyay danjiraha shahaado sharaf, haddiyadu isugu jiro dharka hiddaha iyo dhaqanka aan u leenahay.

Danjiruhu intii uu Baydhabo joogay kuma ekayn xarumaha maamulka iyo hoteellada waaweyn keliya, si uu shacabkiisa u dareensiiyo in uu kal iyo laab ula jiro wuxuu tagayay xaafadaha ku yaalla daafaha Baydhabo, isaga oo arrintaas ka warramaya na wuxuu yiri:

"Xaafad ayaa la igu casumay, waxaana la iga siiyey raashin aanan ilaa hadda illoobayn macaantooda, waxaa aniga iyo saaxiibadii ila socday naloo soo kariyey moordi ama soor masago hadba sida loo yaqaano, isbiinij, hilib, caano geel, ansalaato, moos iyo babaay. Cuntooyinkaan iyo cabitaannadaan kulligood waxaa laga helaa dhulkeenna, kumana jiro mid bannaanka laga soo dhoofiyey. Waxaan dareemay dalkayga badarka macaan ee ka baxa meel kale oo laga heli karo in aysan jirin".

Danjire Maxamed Cali (Ameeriko) intii uu Baydhabo joogay wuxuu soo booqday beeraha laga soo saaro dalagga ugu badan ee Koofur Galbeed iyo Soomaliya laga isticmaalo, kuwaas oo ay ka soo go'aan dalagyo kala duwan, sida; masagada, liinta, cambaha, mooska iyo qudaar kaloo badan, kuwaas oo qaarkood barisamaadkii mirohooda la dhoofin jirey.

Danjire Maxamed Cali (Ameeriko) oo ka hadlayey booqashadiisii Baydhabo ayaa yiri: "Waxaanan waligey illoobayn sidii dhallinyarada, gaar ahaan ardayda, odayaasha iyo hooyooyinkii aan Baydhabo kula kulmay u jeclaayeen in shacabka Soomaaliyeed ay nabad wada gaarta iyo dawlad Soomaaliyeed oo muwaadin kasta xaqiisa ilaalisa, iyaguna ay la shaqeeyaan".

Puntland

Danjire Maxamed Cali Nuur (Ameeriko) markuu ka tagay Baydhabo. wuxuu socdaalkii nadadda ku tagay maamul goboleedka Puntland. Safarkiisa wuxuu ka bilaabay magaalada madaxda Puntland ee Garoowe, oo uu ka soo degay garoonka diyaaradaha ee Garoowe, halkaas oo si weyn ay ugu soo dhaweeyeyeen madaxdii Puntland oo ay hor kacayeen; wasiirro, gudoomiyihii gobolka Nugaal iyo madax kale oo badan.

Danjiraha waxaa la dajiyey madaxtooyada Puntland looga taliyo, oo uu ku soo dhaweeyey Madaxweyne mudane Cabdiwali Maxamed Cali Gaas. Danjiraha waxaa loo fududeeyey kaabayaashii u sahli lahaa safarkiisa nabadda, iyada oo maamulku siiyeen gaari iyo darawal heeggan u ah saacad walba.

Danjire Cali Ameeriko oo arrintaas ka waramaya ayaa yiri: "Madaxweynuhu wuxuu i siiyey gaari, waliba anigu inta badan magaalada waxaan ku mari jirey lug, aniga oo dadka caadiga ah meel kasta iskala fariisanayey, dukaamada wax ka gadanayey, maqaayadaha shaaha ka cabayey. Gaariga intaan meel iska dhigno ayaan aniga iyo darawalku iska lugayn jirnay xilli kasta".

Kaddibna isaga iyo darawalkii dawladdu siisay iyo hal askari oo ilaalo ahaan loogu daray ayuu ku safray waddada u dhexayso Garoowe iyo Boosaaso. Intuu safarka jidka Boosaaso u sii socday wuxu ku hakaday magaalada Qardho oo uu booqasho ugu tegey Boqor Burhaan Boqor Muuse oo fadhigiisu yahay magaalada Qardho.

Danjiraha oo arrintaas ka waramaaya ayaa yiri: "Boqor Burhaan aad ayuu ii soo dhaweeyey, wuxuuna iiga mahadceliyey mudadii aan safiirka ahaa wixii uu iga maqlay ama iga arkay. Wuxuu igu yiri dadka Soomaaliyeed way iska wada warqabaan oo xog kuma kala qarsoona, intii aad safiirka Kenya ka ahayd, ummadda Soomaaliyeed waxaad u qabatay ma illoobi doonaan, ilaahayna ajar badan ha kaa siiyo. Qaxootigii Keenya joogay iyo arrintii garoonka kubbada cagta ee Kasaraani ee dadka badan lagu xareeyey, wax weyn baad ka qabatay, oo aad soo badbaadisay muwaadhiniin fara badan, iyo soo celintii dhulkii safaarada Soomaliya ee Nairobi."

Intii uu danjirihu Qardho joogay, wuxuu bulshada reer Qardhood oo Boqor Burhaan kow ka yahay gaarsiiyey farriintii uu xambaarsanaa ee "Socdaalka Nabadda". Isaga oo arrintaas ka hadlayana danjiraha wuxuu yiri: "Maadaama duubabka Soomaaliyeed yihiin asaaska nabadda, farriintii socdaalkayga si wanaagsan ayuu iila gartay Boqor Burhaan, isaga oo sheegay inay dadku aad ugu baahan yihiin fariin nabadeed oo middaan oo kale ah. Shacabku way ka daaleen, isqabqabsi, dagaal iyo qabiil.

Dadku waxay u baahanyihiin nabad iyo wada noolaansho, si gaar ah maamul goboleedyada waxaa looga baahan yahay inay dawladda la shaqeeyaan, dawladdana ay la shaqayso maamullada dalka ka jira, iyaga oo gacamaha ishaystana ay dalka iyo dadka nabad gaarsiiyaan, lagana saaro dhibaatada haysata. Waxaa loo baahanyahay in dalka la gaarsiiyo doorasho hal qof iyo hal cod iyo in dalka laga saaro cadawga jooga".

Socdaalkiisi ayuu sii watay danjire Maxamed Cali (Ameeriko) wuxuuna u ambabaxay magaalada Boosaaso. Safiirka oo ka sheekaynaya wixii uu waddada kula kumay ayaa yiri: "Dhulka intii aan sii marayay waxaan aad u dareemayay nabad, aniga oo aad ugu faraxsanaa dhulkii aan sii maraynay. Waxyaabaha sida gaar ka ah aan u xasuusto waxaa ka mid ahaa, geel waddada daaqaya oo aan ku nimid. Anigu waagaan yaraa intaan Xamar ka soo baxno ayaan gobollada aadi jirney, waxaan arki jirney geel, lo' iyo ari waddada daaqaya, kuwaasna si ay waddada u banneeyaan hoon ayaa lagu yeerin jirey. Hase yeeshee waxaan arkay wax ka duwan wixii aan aqaannay oo aan horay u soo arkay.

Danjire

Markii geelii waddada isku gooyey ayaa darawalkii gacanta gaariga ka soo bixiyey oo kor ugu taagay geela! Kaddib geelii ayaa waddada banneeyey. Anigu markii kowaad waxba ma waydiin waan iska aamusay anigoo la yaaban arrintaas, balse markaan xoogaa soconnay ayaan geel kale oo waddada daaqaya ku nimid. Markaas ayaan iri markaan anigaa gacanta u taagaaya geela si ay waddada u baneeyaan, nasiib darro geelii waddadii waa noo bannayn waayay markaan anigu gacanta taagay! Darawalkii ayaan waydiiyey sababta geelu waddada uga leexan waayay, markaan anigu u taagay gacanta. Wuxuu igu yiri: "Boowe geelu wuxuu gartay inaadan reer bari ahayn ee aad tahay reer Xamar!"

Intii safiirku safarka sii ahaa wuxuu arkay fardo dhul dooxa ah iska daaqaya, oo cid ilaalinaysaa aysan jirin.

Danjiruhu wuxu aad ugu riyaaqay dhulka dheer ee u dhexeeya Garoowe iyo Boosaaso, oo uusan wax amaan darro ah ku arkin, wuxuuna sheegay inuu dareenkiisa ku cabiri lahaa guurow uu tiriyey (AUN) Cabdulle Raage Taraawiil, waa guurow caan ah oo Soomaalida wada tagaan, waxaana la yiraahdaa "Soomaalida dadkii hore haddaan dib uga sheekeeyo", waana kan guurowgii:

Soomaalida dadkii hore haddaan, dib uga sheekeeyo

Taariikhda duuggaa markaan, daba galnee raacno

Degmada Afrikaan waxan ka naal, dacalka xeebtaa

Dal ballaaranaan leennahaya, duunya fara wayn

Iyo webiya doog iyo abaar, lagu dabaashaayee

Diintana Furqaanow waxyigu, noogu soo degaye

Waa kaa dalkeenni is beddelay, duhur dharaareede

Ummad diif iyo gaajiyo jahliba, duugtayaan nahay

Dan-wadaag heshiisee gunnimo, diiddayaan nahaye

Ummad daafac iyo xoog leh, oo diirranaan nahay

Danjire

Dariiqa toosan ee xaqaa shacbiga, doortayaan nahaye

Diyaar waxan u nahay goor dhaw inan, dayaxa gaarnaaye

Dus-duska iyo warxumo faafiskaya, shaqa ka soo daaha

Dadkaan daacad howshuu ahayn, diina badan lowga

Dambeeyaha gadaal xiga markii, tacabka loo duubto

Waxba yow ibliis laba duglihi, daasad noo tumin'e

Ha na daayo ruuxaan qalbiga, daahir ka ahaynu

Afka ruux ka dahabaa jiroo, dabaya uurkiiye

Iyagoo ku dagayey haddana, kula dersaayaane

In kastoon digtoonnahay summadi, duulka kuma taale

Haddaadan daawanaayow dhismahaan, ka qabsan daaftaada

Adya kii kusoo diraba waa, laydin dilayaa'ee

Danjiraha ayaa gaaray magaalada Boosaaso iyada oo halkaas si weynay ugu soo dhaweeyeen maamulkii gobolka Bari oo uu hoggaaminayey gudoomiyihii gobolka Bari, Yuusuf Maxamed Wacays iyo duqa magaalada Maxamed Siciid Shabeel. Waxyaabihii uu ku arkay Boosaaso waxaa ka mid ahaa qaxooti Yemaniyiin ah oo degan magaalada Boosaaso. Danjire Maxamed oo arrintaas ka warramaya ayaa yiri:

"Waxaan arkay dad qaxooti ah oo shisheeye ah oo Soomaaliya qaxooti ahaan u hayso. Awal annagaa qaxooti ahaan jirnay, laakiin hadda annagii ayaa marti galinayna dad waddankoodii ka soo qaxay. Waxaan aad uga mahadceiyey madaxda iyo shacabka reer Puntland caawinta iyo soo dhaweynta dadka qaxootiga ah ee reer Yeman."

Safiirku mar labaad ayuu waddadii horey uu u maray ee Boosaaso iyo Garoowe dib u soo maray. Isaga oo safarkiisii ka warramaya wuxuu yiri: "Markii hore waddada ma garanayn, balse markaan Boosaaso ka soo laabannay, darawalkii waxaan ku iri iska naso, aniga ayaana gaariga darawal ka soo noqday ilaa iyo Garoowe, waxaan ku faraxsanaa inaan waddo intaas dheerar le'eg dib gaari ugu wado Soomaaliya gudaheeda, iyada oo ay safar dheer oo aan dhulka maro iigu dambaysay xilligii dawladdii dhexe jirtay. Askarigii ila socday qorigii meel buuba isaga xareeyey oo iska seexday, waayo cid aan ka baqaynay ma jirin".

Safiirku intii uu waddada ku jirey waxaa gaarigii ka banjaray taayirka dambe, laakiin kalsoonidii uu qabay awgeed, isaga ayaa lugtii banjartay ku badashay taayirkii isbeerka ahaa.

Galmudug

Danjire Maxamed Cali (Ameeriko) markuu dib ugu soo laabtay Garoowe waxaa sii sagoontiyey oo ay horey isu siiraaceen madaxweynaha Puntland mudane Cabdiwali Cali Gaas oo ay Gaalkacyo u wada safreen, kaddibna wuxuu u gudbay dhinaca Gaalkacyo ee maamul goboledka Galmudug. Danjiraha oo arrintaas ka warramayana ayaa yiri: "Madaxweyne Gaas ayaa baabuur i siiyey oo dhinaca kale i geeyey. Sidii la ii waday ayaa la ii keenay madaxweynihii hore ee Galmudug Maxamed Axmed Caalin iyo madax kale, oo meel igu sugaya, kaddibna waxaa la ii galbiyey dhinaca koofureed ee Gaalkacyo ee Galmudug. Si fiican baa la ii soo dhaweeyey.

Intaas kaddib danjire Maxamed Cali (Ameeriko) wuxuu bilaabay mar kale safar dhulka ah oo uu ku maray maamul goboleedka Galmudug. Danjiruhu wuxuu ku hakaday tuulooyinka u dhexeeya Gaalgacyo iyo Cadaado oo uu dhallinyarada tuuladaas shaah kula cabbay, lana sheekaystay.

Waxaa Cadaado si wanaagsan danjiraha ugu soo dhoweyay madaxtooyada madaxweynaha maamul goboleedka Galmudug mudane Cabdikariim Xuseen Guuleed oo u qabtay xaflad aad u weyn oo bulshada qaybeheeda kala duwan oo dhan ay ka soo qayb galeen. Danjiraha wuxuu ku bogaadiyey maamulka Galmudug inay nabadda ka shaqeeyaan iyo sidii dib u heshiisiin loogu abuuri lahaa iyaga iyo Ahlu Suna Wal Jameeca. Madaxweyne Cabdikariim Xuseen Guuleed aad ayuu ugu riyaaqay fikirkaas wuuna soo dhoweeyay.

Intaas kaddib danjiraha wuxuu aaday magaalada Dhuusamareeb oo ah caasimadda Galguduud oo waqtigaas ay ka arriminayeen Ahlu Sunna Wal Jameeca oo uu madax u ahaa Shikh Axmed Shaakir. Si fiican ayaana madaxdii Ahlu Sunna Wal Jameeca u soo dhaweeyeen danjiraha, isaga oo farriintiisii nabadda la wadaagay dhammaan qaybihii kala duwanaa ee bulshada reer Dhuusamareeb. Intaas kaddib wuxuu u gudbay magalada Guriceel isaga oo wali safarkiisii dhulka ahaa ee uu Boosaaso ka soo bilaabay ku jira.

Danjire Maxamed Cali (Ameeriko) oo ka warramaya safarkiisii dhulka ahaa ee Dhuusamarreeb ayaa yiri: "Intii aan waddada ku sii jirnay ee aan Guriceel u sii soconay waxaan istaagnay tuulo laamiga ku taalay oo aan ka cabnay shaah, dadkii meesha joogay ayan la hadlay oo xaalkooda ka waraystay, isla markiiba nin oday ah ayaa na soo ag fariistay, waxaa lagu yiri magaranaysaa ninkaan?

Intuu si fiican ii fiiriyay ayuu yiri: "Maya." Waxaa lagu yiri waa danjirihii Soomaaliya u joogay Kenya Maxamed Cali Nuur (Ameeriko). Wuxuu yiri: "Idaacaadaha ayaan ka maqli jirey isaga oo Soomaalida Kenya jooga u doodaya. Wuxuu intaas ku sii daray, ilaa tawraddii (Dawladdii Kacaanka) ma annaan arag qof dawladda ka mid ah ama u shaqayn jiray oo nala fariistay oo xaalkeena naga waraystay manta ka hor".

Odaygii ayey danjiraha is xog waraysteen, wuxuuna u sheegay in goobta uu ku nool yahay ay ka jirto waxbarasho la'aan iyo isbitaalada oo aad uga fog. Danjire Maxamed Cali (Ameeriko) wuxuu u sheegay odaygii iyo dadkii la joogayba inuu fariintooda gaarsiin doono maamulka, dowladda dhexe iyo qof kastoo Soomali ah oo ka qayb qaadan karo xal iyo helidda arrintaas.

Danjiraha markuu Guriceel gaaray waxaa si weyn u soo dhaweeyey madaxdii Ahlu Sunna Wal Jameeca oo uu hor kacayo Shikh Axmed Shaakir. Danjiraha kulankii madaxda Ahlu Sunna Wal Jameeca wuxuu u gudbiyey fariin la mid ah tii madaxda Galmudug uu u gudbiyey ee ahayd inay nabadda iyo dib u heshiisiinta ka shaqeeyaan, Shikh Axmed Shaakir fikradaas wuu soo dhoweeyey, wuxuuna ballan qaaday inuu ka shaqayn doono.

Danjiraha wuxuu u gudbay magaalada Matabaan oo ay ku soo dhoweeyeen duqa magaalada iyo madax kale, kaddib wuxuu uga sii gudbay magaalada Baladweyne ee caasimadda gobolka Hiiraan. Nasiib darro socdaalkii nabadda ma suura galin in uu ka hirgalo magaalada Beledweyn sidii qorshuhu ahaa, arrimo farsamo awgeed, danjiruhuna wuxuu dib ugu laabtay magaalada Dhuusamarreeb oo uu dib uga sii dhoofay oo diyaarad u qaatay Muqdishu.

Socdaalki nabadda oo aan ku tagi waayay Beledweyne aad baan uga xumaaday, waxaa kaloo arrintaas ka xumaaday Somali fara badan oo ku kala nool waddanka gudihiisa iyo dibeddaba. Waxaan aad iyo aad ugu mahadcelinayaa walaalahay reer Beledeweyne, Hiiran oo aad iiga tacsiyey falkaas, iina muujiyay inay ka xumaadeen, iguna casuumay igana codsaday inaan tago Beledweyn, waana u sheegay Insha Allah Beledweyn inaan tagi doonaa oo faarintaydii nabadda gaarsiin doona.

Shabeellada Dhexe

Danjire Maxmed Cali Nuur (Ameeriko) wuxuu dib u bilaabay socdaalkiisii nabadda ee uu gobollada dalka uu ku maraayey. Wuxuu safar dhulka ah ku aaday magaalada Balcad ee gobolka Shabeeleda Dhexe, isaga oo bulshadii reer Balcad si weyn u soo dhaweeyeen madax iyo shacabba oo ay hogaaminayeen gudoomiyihii Balcad mudane Maxamuud Maxamed "Saney" iyo maamulkiisa. Danjiraha wuxuu booqday warshaddii caanka ahayd ee dharka samayn jirtay ee Balcad. Safiirka oo ka warramaya safarkiisii Balcad ayaa yiri: "Waxaan tagay warshadii Balcad oo aan la biliqaysan oo sideedii ah, ilaa maantana odayaashii dawladdu uga tagtay ay gacanta ku hayaan. Waxay ii sheegeen inay saliid ku shubaan si aysan mashiinnadu u daxalaysan.

Danjire

Aad ayaan u farxay inay muwaadiniin Soomaaliyeed hantidii qaranku ka burburay sidaas u ilaalinayaan ilaa manta, waxaan soo jeedin lahaa in dowladda ay dadkaas abaalmariso, si loo dhiirrigeliyo dadka hantida qaranka dhawray muddada soddonka sano ku dhaw".

Danjire Maxamed Cali (Ameeriko) safarkiisii ayuu sii watay, isaga oo tagay magaala madaxda gobolka Shabeellada dhexe ee Jowhar. Halkaas si weyn ayaa waxaa ugu soo dhaweeyey gudoomiyaha gobolka Shabeellada Dhexe mudane Cali Cabdullahi Xuseen (Guudlaawe), iyo xubno kale oo ka tirsanaa maamulkiisa. Danjiruhu wuxuu bulshada kala qaybgalay kulamo badan oo looga tashanayay sidii gobolka xaaladdiisa wax looga badali lahaa, horumarna loogu tillaabsan lahaa. Gudoomiye Cali Guudlaawe ayaa u shirbay danjire Maxamed Cali Nuur (Ameeriko) oo yiri;

"Habeen kale minaad hooyee, hal nirigteed lahaad helee."

Meelaha uu sida gaarka ah u tagay waxaa ka mid ah warashaddii Sokorta ee Jawhar ee la oran jirey S.N.A.I. iyo wabiga Shabeelle.

Kaddib safiirku wuxuu safar dhulka ah ugu ambabaxay magaalo xeebeedka qadiimiga ah ee Warshiikh, waxaana ku soo dhaweeyey Gudoomiye mudane Axmed Xuseen Axmed (Shiidka), halkaas oo uu danjiruhu bulshada kula hadlay, farriintii socdalka nabaddana ku gaarsiiyey. Aad ayay dadku ugu farxeen, iyaga oo bulshada deegaanku u sheegtay inay muddo warbaahinta kala socdeen socdalka nabadda, maantana ay nasiib u yeesheen in uu ugu yimid degmadooda. Danjiraha oo ka warramaya socdaalkiisii Warshiikh ayaa yiri: "Fursad weyn ayay ii ahayd inaan Warshiikh safar dhulka ah ku tago. Waa dhul xeebeed aad u qurux badan, carro san ah, taariikh dheerna leh, waxaan idiinku baaqayaa inaad nabadda ka shaqaysaan, laysna cafiyo".

Danjire

Soomaalilaand

Danjire Maxamed Cali Nuur (Ameeriko) wuxuu safarkiisii nabadda ku tagay magaalada Hargeysa ee caasimadda Soomaaliland. Safiirka oo ka warramaya safarkiisii Hargeysa ayaa yiri:

"Waa marki ugu horaysay oo aan booqdo Soomaaliland. Waxaa xusid mudnayd, markaan u soo socday Hargeysa ayaa saaxiibbo aan lahaa oo reer Hargeysa ah u sheegay inaan imaanayo, waxay ii sheegeen inay garoonka diyaradaha ee Allaha u naxariistee Xaaji Maxamed Ibraahim Cigaal ee Hargeysa iga soo doonayaan. Waxaan diyaarad ka soo raacay Dubai, maalintaas diyaraddii ayaa soo hormartay oo timid Hargeysa soddon daqiiqo ka hor waqtigaan iman lahayn. Markii aan soo degay oo aan safka soo galay ayaa waxaa ii yimid askari, oo igu yiri;" soow danjire Maxamed Cali (Ameeriko) ma tihid?

Waxaan ku iri; "haa", wuxuu igu yiri: "ka soo bax safka aad ku jirto, adigu Danjire baad tahay ma lihid meeshaane, na keen VIPda ayaan ku gaynayaa". Wuu i kaxeeyey oo i geeyey VIPda garoonka diyaaradaha, halkaas oo cabitaan la iigu keenay, boorsadaydiina la ii keenay, si wanaagsan oo ay sharaf iyo xushmo ku dheehan tahayna la ii soo dhoweeyay, aad iyo aad baana ugu mahadceliyay.

Intii aan VIPda ku nasanayay, saaxiibadii iga soo doonay garoonka ayaa banaanka garoonka iga waayay, waxay magacayga ka raadiyeen liiskii magacyada dadka diyaaradda la socday, waxayna arkeen inaan ku qoranahay oo aan Hargeysa la imid diyaradda. Hase ahaatee markii dambe VIPda ayey iga heleen, oo ay igu yiraahdeen, aad baa lagaaga jecel yahay meel walba oo aad booqato".

Intuu danjiraha ku sugnaa magaalada Hargeysa wuxuu si nabad iyo xor ah u marayay meel kasta oo uu u baahdo in uu tago, ciidan waardiyo uma baahan. Dhallinyarada reer Hargaysa ayaa markay arkaan danjiraha oo ku dhex lugeeynaya magaalada, suuqyadana wax ka iibsanaya, ayay waxay ku oranayeen:" Danjire Maxamed Cali (Ameeriko) ku soo dhawow Hargeysa waa magaaladaadii, waan ognahay waxaad dadkayaga u qabatay markaad danjiraha ka ahayd Kenya. Dadka Soomaaliyeed oo dhan baad safiir u tahay." Danjire Maxamed Cali Nuur (Ameeriko) intii uu Hargeysa ku sugnaa wuxuu tagay meelo badan oo ay ka mid ahayd xarunta dhaqanka ee Hidda Dhawr.

Danjiruhu Hargeysa kuma uusan ekayn ee wuxuu booqasho ku tagay magaalo xeebeedka Berbera oo iyana si wanaagsan loogu soo dhoweeyay. Goobaha gaarka uu u booqday danjiruhu waxaa ka mid ah warshaddii furinka(foornada) ee Cilmi Boodhari iyo Hodan isku caashaqeen, Allaha u naxariistee.

Qurbaha

Danjire Ameeriko marka uu dalka hooyo intiisa badan soo maray oo uu fariintii "Socdaalka Nabadda" gaarsiiyey, wuxuu u gudbay inuu wixii xog iyo xaal ahaa la wadaago qurba joogta u hamuun qabta xogta dhabta ah ee dalkooda. Wuxuu go'aan ku gaaray wixii uu indhihiisa ku soo arkay iyo wixii dhegihiisu soo maqleen inuu la wadaago qurba joogta.

Danjiraha wuxuu go'aansaday inuu qurba joogta Soomaliyeed tusiyo, ugana farxiyo muuqaalladii faraxadda lahaa ee uusan filayn ee uu ku soo arkay dalkii iyo fariimihii ay u soo dhiibeen dadkuu soo arkay. Inuu u sheego in gacan iyo gargaar laga siiyo meelihii uu arkay inay baahiyo gaara ka jiraan; hadday cisbitaalo ahaan lahayd, hadday waxbarasho ahaan lahayd iyo haddii ay ammaan, nabad iyo dib u heshiisiin laga shaqeeyo ahaan lahaydba. Wuxuu la kulmay maskaxdii aqoonta iyo caqligu ka buuxeen ee ka soo qaxday dalkii, uguna soo qaxeen duruufihii qallafsanaa ee dalku soo maray. Wuxuu la kulmay dadkii waxbartay, saraakiishii ciidamada, ganacsatadii, hooyooyinkii habeen iyo maalin u taagnaa sidii dalkii Soomaaliya dib isugu taagi lahaa mar kale.

Waddamada uu danjiruhu "Socdaalka Nabadda" ku tagay, waxay kala ahaayeen:

Denmark

Safarka wadanka Denmark waxaa abaabulay jaaliyadda Soomaaliyeed qaybaheeda kala duwan ee Denmark, oo soo dhoweyn wanaagsan u sameeyey danjire Maxamed Cali Nuur (Ameeriko), waxayna uga hortageen garoonka diyaaradaha ee magaala madaxda Denmark ee Copenhagan.

Maalintii ku xigtayna safiirku wuxuu Denmark kulan la qaatay jaaliyadda, wuxuuna uga waramay socdaalkiisa nabadda ee uu ka soo bilowday Soomaaliya, haddana uu Yurub ku maraayo, uguna dardaarmay inay sii wadaan kaalmada iyo u gargaarida walaalaheen ku dhibaateysan waddanka gudihiisa iyo xeryaha qaxootiga.

Danjire Maxamed Cali Nuur (Ameeriko) wuxuu ka dhegeystay talooyin ku aadan nabadeynta iyo sida dadka Soomaaliyeed ugu baahi qabaan inay helaan xasilooni.

Danjiraha intii uu Denmark joogay wuxuu kaloo booqday magalada Aarhus oo ay Soomali badan degan yihiin. Jaaliyaadda Soomaaliyeed ee deggan magaalada Aarhuus waxay u sameeyeen xaflad aad u balaaran oo si wanaagsan loo soo agaasimay, waxaa ka hadlay qaybo ka mid ah jaaliyaada oo danjiraha uga mahadceliyay booqashadiisa iyo wanaaguu soo qabtay intuu safiirka ka ahaa Kenya, gaar ahaan u gargaaridii qaxootiga. Danjire Maxamed Cali Nuur (Ameeriko) wuxuu sidoo kale warbixin ka siiyay socdaalkiisii nabadda oo uu kuu maray Soomaaliya, una sheegay goboladdi, magaalooyinkii iyo tuulooyinkii uu soo maray iyo wuxuu kala soo kulmay. Danjiraha wuxuu ugu baaqay jaaliyadda inay sii wadaan u gargaaridda walaalahood kaalmada u baahan ee ku nool waddanka gudihiisa iyo xeryaha qaxootiga.

Danjire

Sweden

Danjire Maxamed Cali (Ameriko) markuu ka tegay Denmark, wuxuu train u raacay magaalada Vaxjo ee Sweden oo ay degan yihiin Soomali badan oo ka codsaday danjiraha inuu soo booqdo.

Danjiraha oo ka warammaya safarkiisii Vaxjo, ayaa yiri: "Qaar ka mid ah jaaliyadda Soomaliyeed ee Vaxyo ayaa si wanaagsan ii soo dhoweyay iyagoo sita ubax iyo calankeena. Maalmihii aan ku sugnaa Vaxyo waxay bulshada Soomaaliyeed abaabuleen kulan ay isugu yimaadeen dhamaan qaybaha kala duwan ee jaaliyadda Soomaaliyeed ee magaaladaas, kulankaas oo danjiraha lagu maamusayey oo uu danjiraha uga waramay socdaalkiisa nabadda uu ku soo maray Soomaliya. Jaaliyada Soomaliyeed ee deggan Vaxjo waxaa ka mid ahaa qoysas ka yimid xeryaha qaxootiga ee Kaakuma iyo Dhadhaab, kuwaasoo danjiruhu qaarkood kula kulmay xeryahaas, ayna is xasuusteen. Markii uu kulanku gebo gebo ku dhowaa, waxaa soo istaagay wiil dhallinyaro ah oo la yiraahdo Aadan, wuxuuna dalbaday in makarafoonka la siiyo, si uu u sheego sheeko dhex martay isaga iyo danjiraha.

Waa wiil ka mid ahaa dhallinyaradii ka soo qayb gashay kulanka soo dhoweynta, qisaduna waxay ahayd sidatan oo uu goobta ka sheegay:

"Waxaan aheen 12 arday oo ku noolaa waxna ku baranaayay xerada qaxootiga ee Dhadhaab, gaar ahaan xaafada Xagardheer, markaan waxbarashada dugsiga sare ka soo gaarnay ayaa lana keenay magaalada Gaarisa si aan dugsiga sare uga dhiganno. Maalin ayaa danjire Maxamed Cali (Ameeriko) noogu yimid Gaarisa, taasoo ahayd mid degmada oo dhan farxad gelisay gaar ahaan ardadii qaxotiga Soomaliyeed ahaa. Waxay ahayd markii ugu horaysay oo aan la kullano danjire ama masuul Soomaliyeed, dadki oo dhan ayaa waxaa gashay farxad aan la soo koobi karin. Dhiirigelin gaar ah ayuu inaga, 12 keeni aradada qaxootiga Soomaliyeed ahaa, ina siiyay oo runti inoo noqotay fursad aan waxbarashadeeni dugsiga sare ku dhammeysano.

Danjire

Danjiraha wuxuu na siiyay buugagta wax lagu qoro, qalmaan iyo buugagta kale ee xisaabta, sayniska iyo juqraafiga. Hadda waxaan ka ahay kalkaaliye macalin dugsi ku yaal magaalada Vaxjo, danjire Maxamed Cali Nuur (Ameeriko) qayb wayn buu ka qaatay waxbarashayda iyo inaan noqdo macallin, aad iyo aad baana ugu mahadcelinayaa."

Danjire Maxamed Cali (Ameriiko) ayaa maalin labaad ka codsaday aqoonyahan Abdi-Noor Mohamed, oo ahaa odayaashii sida wanaagsan ugu soo dhoweeyey Vaxjo, inuu geeyo dugsiga uu Aadan macalinka ka ahaa.

Danjiraha oo ka sheekaynayo arrintaas ayaa yiri: "Markaan tagnay iskuulki waxaan marka hore la kulanay maamulaha iskuulka oo si wanaagsan noo soo dhoweeyay, aadna ugu farxay booqashadeena. Wuxuu na geeyay fasalkii uu dhigayay macallin Aadan, markaan soo galnay aad buu u farxay, oo uu ardadi u sheegay qofkaan ahay. Waxaan Aadan u sheegay inaan aad ugu faraxsanahay horumarkuu gaaray." Markaan soo baxaynay ayaa maamulaha dugsiga i gudoonsiiyay haddiyad ahayd geed oo uu ugu magacdaray "geedki nabadda", aad baana ugu mahadceliyay.

Kaddib wuxuu danjiraha socdaalkiisii nabadda ku tegey magaalo madaxda Sweden ee Stockholm, halkaas oo ay jaaliyadda Soomaaliyeed ku soo dhoweeyeen garoonka diyaaradaha ee magaala madaxda Sweden ee Stockholm. Danjiraha wuxuu kulan la qaatay jaaliyadda, intuusan danjiraha hadlin ayaa waxaa hadlay qaar ka mid ah jaaliyadda oo danjiraha ugu mahadnaqahay socdaalkiisa nabadda, imaatinkiisa Sweden iyo dadaaladii faraha badan oo uu ka sameyay xilligii uu safiirka ka ahaa Kenya. Waxaa laga tiriyay buraanburo lagu amaanayo danjiraha.

Danjire Maxamed Cali Nuur (Ameeriko) ayaa uga warramay jaaliyadda socdaalkiisii nabadda oo uu ku soo maray waddanka gudihiisa iyo farrintuu wado oo ah inaan kulligeen ka wada shaqayno nabadda iyo kaalmaynta walaalaheen ku dhiibataysan waddankeena.

Danjire

Danjiruhu wuxuu kaloo uga sheekeeyay dhulkii quruxda badnaa oo uu soo arkay, ku soo lugeeyay, baabur ku waday iyo xeebihii quruxda badnaa oo uu ku soo dabaashay.

Markuu danjiraha dhameeyay hadalkiisa ayaa waxaa hadlay wiil dhallinyaro ah oo sheegay in la yiraahdo Cabdifataax codsadayna inuu laba kalmadood ka yiraahdo danjiraha, wuxuu hadalkiisa ku bilaabay: "Waxaan anniga iyo qoyskayga ka soo qaxnay Soomaaliya sanadkii 1996dii, waxaan qaxooti ku noqonay xerada qaxootiga ee Kakuma ee ku taal galbeedka Kenya.

Duruufta xerada ka jirta waxay ahayd mid adag, dhaqaaluhu ma wanaagsanayn, sahayda yar ee gargaar ee hay'adaha laga helaa waa wax ku kooban cunno yar oo aan haqab tirayn qoyska. Duruuftaas ayaan ku ahaa arday. Waxaa igu adkayd inaan helo qalin, buug iyo agabka kale ee aan uga baahanahay waxbarashada.

Maalin maalmaha ka mid ah annigoo fasalkii dhex fadhiya ayaa waxaa la ii sheegay in danjiraha Soomaaliya ee Kenya Maxamed Cali Nuur (Ameeriko) uu imaanayo xerada, uuna wado buugaag uu ugu tala galay ardayda wax ka barata iskuulada xeryaha, goobta uu imanayaa waa meel masaafo ahaan iga fog, gaadiidka dadweynaha ee ka shaqeeya xerada qaxootiga waa mootooyinka labada lugood leh oo lagu raaco 50 Kenya shillin oo u dhiganta nus doolar (0.50 cents), duruufta anniga iyo qoyskeena markaad fiiriso waa arrin aad u adag inaan lacagtaas helo.

Dantii waxay igu khasabtay inaan raadsado buugtaas safiirka uu keenay, macalinkii ayaan ka fasax qaatay, una sheegay inaan quud daraynayo inaan ka helo qayb buugtaas, maadaama aan baahi weyn u qabo. Halkii ayaan ka orday, ismaan taagin, waxaan gaaray goobtii uu safiirku buugta ku qaybinayey, kulaylka daran ee deegaanka ka jira iyo orodkii dheeraa dhidid ayaa annigoo dhan i qooyey, dadkii ugu dambeeyey ee soo gaaray ayaanan ahaa, waxaanse nasiib u helay inaan qayb ka helo buugtii iyo qalimaantii.

Danjire

Markaas waxaan ahaa dugsiga dhexe, buugta aan helay waxay ahaayeen kuwo isugu jira maadooyinka sayniska, xisaabta, arrimaha bulshada, taariikhda iyo joqraafiga, qalabka xisaabaadka, buug iyo qalimaanta qoraalka, waxayna ii noqdeen kuwo igu filaaday tan iyo markii aan dhameeyay dugsiga sare.

Buugtaani waxay ii noqdeen taageeradii iigu balaarnayd, rajadii iyo wixii i geliyey inaan helo niyad waxbarasho oo saraysa. Dadaalkaan bilaabay maalintaas waxaan ku guulaystay inaan fasalka dugisa sare uga baxo darajo sare, taasoo ii noqotay fursadda aan ku helay jaamacad, waana meesha aan hadda ku noolahay ee aan kulankaaga kaga soo qayb galay".

Wiilkii halkaas markuu marinayey ilmo ayaa ka timid indhahiisa, wuxuuna ku dhegey danjiraha, isagoo oohin is celin waayey, kuna qaylinaya: "Safiir waxaad ahayd indhaha nolasha anniga iyo arday badan oo qaxootiga ku jirtay, aad iyo aad ayaan kaaga mahad celinayaa, Alle abaalkaaga ha gudo."

Danjire Maxamed Cali (Ameeriko) wuxuu kaloo soo booqday jaaliyadda Soomaaliyeed ee ku nool magaalada Katrineholm, Sweden. Si diiran ayay u soo dhoweeyeen jaaliyadda, xaflad balaaranaa waa loo qabtay danjiraha. Danjiraha wuxuu ugu mahadceliyay soo dhoweynta wanaagsan, kaddib wuxuu uga warramay socdaalkiisi nabadda oo uu ku maray Soomaaliya iyo fariintiisa nabadda iyo iscafiska. Jaaliyadda Soomaliyeed ee magaalada Katrineholm waxay gudoonsiiyeen shahaado sharaf, waxayna uga mahadnaqeen sida wanaagsan oo intuu danjiraha ka ahaa Kenya oo uu ugu adeegay Soomaalida gaar ahaan qaxootiga iyo soo celintii guriga safaarada ee Nairobi.

Danjire

Norway

Danjire Maxamed Cali Nuur (Ameeriko) socdaalkiisii nabadda ayuu sii watay oo uu tagay Oslo, magaala madaxda Norway oo ay qaar ka mid ah Jaaliyadda Soomaliyeed iyagoo sida calanka Soomaliya si wanaagsan ugu soo dhoweeyeen gegida diyaaradaha ee magaalada Oslo.

Danjiraha intuu kulan la qaadanayey jaaliyadda Soomaliyeed ee magala madaxda Norway ee Oslo, waxaa goobta lagu soo bandhigay ciyaaro dhaqameedyo, waxaana sidoo kale u shirbay abwaan Xuseen Madoo-be, isagoona tiriyey tixdaan, waxaana ku luqaynaya Xuseen Nuuriyow, erayada shiribka waxay ahaayeen:

Afar walxaadoo ceyn ku taal

Maxamed Cali waa ku caan

Soomaaliyoon la cid cideeyn

Maxamed Cali waa ku caan

Cibaado ya cilmi aduun

Maxamed Cali waa ku caan

Curyaan ya dumar cisadood

Maxamed Cali waa ku caan

Cafis iyo caro la'aan

Maxamed Cali waa ku caan

Afar kaleetoo ceyn ku taal

Maxamed Cali ku ciseey

Maatada ciilan ceeymintood

Maxamed Cali ku ciseey

Danjire

Waa caawiye caruur iyo

Ciroole dhiban ku ciseey

Cariish qaranow soo celshee

Maxamed Cali ku ciseey

Calankow ciidda ka celshee

Maxamed Cali ku ciseey

Finland

Danjire Maxamed Cali Nuur (Ameeriko) wuxuu tagay Finland, oo ay garoonka diyaaradaha ee magaalo madaxda Finland ee Helsinki ku soo dhoweeyay qaar ka mid ah jaaliyadda Soomaliyeed ee ku nool Finland. Safiirku intuu joogay magaalo madaxda Finland ee Helsinki wuxuu kulan wada tashi iyo iswaraysi ah la qaatay jaaliyadda, oo uu uga waramay socdaalkiisi nabadda oo uu ku soo maray Soomaaliya iyo baaqa nabadda, dibushesiinta iyo iscafinta uu waday, haddana uu soo gaarsiiyay jaaliyadda. Danjiraha wuxuu jaaliyadda kula dardaarmay inay sii wadaan kaalmada iyo taakulaynta ay mar walba u diraan walaalahood u bahan kaalmada ee ku nool waddankeena iyo xeryaha qaxootiga. Waxaa shirka ka hadlay qaar ka mid ah jaaliyadda oo soo dhoweeyay baaqa danjiraha, waxaa kaloo laga tiriyay buraanbur loogu hadlaayay wanaagi uu danjiraha u qabtay jaaliyadda Soomaaliyeed ee Kenya.

Holland

Waddanka kale oo uu tagay danjire Maxamed Cali Nuur (Ameeriko) waxay ahayd Holland, oo garoonka diyaaradaha ee Schiphol oo ku yaal magaalo madaxda Holland ee Amsterdam, si qurux badan ugu soo dhoweeyay jaalliyadda Soomaliyeed ee degan Holland. Dadka Soomaaliyeed ee qurbaha ku nool waxyaabaha ugu waaweyn ee ay aadka ugu dheereeyaan markay masuuliyiin soo dhownaynayaan waa muujinta farshaxanka dhaqan ee ay ugu horayso suugaanta, lebiska iyo astaamaha kale ee qaranimo.

Sida goobihii kale ayaa iyana jaaliyadda Soomaaliyeed ee reer Holland maansooyin kala duwan oo ka hadlaayo nabadda ku soo dhoweeyeen danjiraha.

Shirabyadda oo dheeraa, waxay ugu dardaarmayeen danjiraha inuu xil iska saaro nabadaynta iyo dibuheshiinta Soomaaliya.

Danjire Maxamed Cali (Ameeriko) wuxuu kulan la qaatay jaaliyadda Soomaliyeed ee degan Holland oo uu uga warramay socdaalkiisa nabadda oo uu ku soo maray Soomaliya, uguna dardaarmay inay sii wadaan taakulaynta ay taakuleeyaan walaalahood kaalmada u baahan, markastana ka qayb qaataan inay ka shaqeeyaan dib heshiisiin iyo in aan is cafinno. Jaaliyadda waxay danjiraha gudoonsiiyeen haddiyadu ay ugu sheegeen inuu ku mutaystay sida wanaagsan oo uu ummadiisa ugu soo shaqeeyay xilligii uu safiirka ka ahaa Kenya.

Ingiriiska

Wadanka boqortooyada midowday ee Ingiriiska waa halka ay jaaliyadda Soomaaliyeed ee ugu balaaran ee wadamada Yurub ku nool yihiin, taasina waxay danjire Maxamed Cali Nuur (Ameeriko) ku khasabtay inuu magaalooyin kala duwan oo Ingiriiska ka mid ah uu socdaalkiisa nabadda ku kala bixiyo, wuxuu ka bilaabay magaalada Bristol.

Danjire Maxamed Cali (Ameeriko) wuxuu kulan balaaran la qaatay jaaliyadda Soomaliyeed ee Bristol, waxaa ka hadlay qaar ka mid ah jaaliyaada oo sheegay inay sugayeen danjiraha inuu soo booqdo ugana warramo socdaalkiisa nabadda, ugana mahad celiyeen howsha waddaninimada ah oo uu ka qabtay xilligii uu safiirka aha, gaar ahaan gurigii safaarada oo uu soo celiyay. Waxaa danjiraha loo tiriyay shirib, kaasoo ahaa: *"Musbaax mugdi la geeyaad Maxamadoow u muuqaata"*.

Danjire

Danjiraha ayaa ugu mahad celiyay soo dhoweynta wanaagsan, kaddibna uga warramay socdaalkiisa nabadda ee Soomaliya, wuxuu u sheegay inay leenahay dhul qurxoon oo aad u balaaran una baahan maalgelin. Danjiraha wuxuu ugu baaqay inaan ka wada shaqayno nabadda iyo iscafinta. Markii uu la dhamaystay kulamadana wuxuu u gudbay magalada London.

Jaaliyadda Soomaliyeed ee magaala madaxda Ingiriiska ee London waxay danjiraha u qaabtay xaflad aad u balaaran oo aad loo soo buuxiyay. Waxaa ka soo qayb galay xafladda qaybaha kala duwan ee jaaliyadda oo ay mid yihiin fanaaniinta, haweenka, dhallinyaraha iyo siyaasiyiin hore. Intuusan safiirka hadlin, fanaaninta ayaa soo bandhigay heeso waddani ah, qaarkoodna safiirka aad u aamanay. Baraanburo waddani iyo amaan isugu jirana laga tiriyay xafladda. Dad badan ayaa ka hadalay kullamadaas, dhamaantood waxay danjiraha uga mahadceliyeen xilligii uu safiirka ka ahaa Kenya, sidii xilkasnimada lahayd oo uu u caawimay Soomalida gaar ahaan qaxootiga, iyo soo celintii gurigii safaarada Soomaliyeed ee Nairobi.

Danjire Maxamed Cali Nuur (Ameeriko) ayaa jaaliyadda uga warramay socdaalkiisi nabadda oo uu ku soo maray Soomaliya, una gudbiyay farrintii nabadda, iscafinka iyo is kaalmaynta. Wuxuu kaloo ugu baaqay inay u istaagaan siday ugu midoobi lahaayeen kaalmaynta walaalaheen ku dhibaaytaysan waddankeena, uguna mahad celiyay siday jaaliyadda Soomaliya ee Ingiriiska lagu yaqaano kaalmada bani'aadinimo.

Jasiiradda Malta

Jasiiradda Malta waxaa deggan qaxooti badan oo Soomaaliyeed, markay maqleen in danjire Maxamed Cali Nuur (Ameeriko) uu socdaal nabadeed ku maraayo Yurub, lana kulmaayo jaaliyaddaha Soomaaliyeed, ayaay ka codsadeen danjiraha inuu soo booqdo. Danjrahana wuu ka aqbalay codsigooda kuna yiri: *"Sharaf bay ii tahay inaan idiin soo booqdo, waana idiin imaanaya"*.

Danjire

Danjire Maxamed Cali Nuur (Ameeriko) wuxuu u safray Malta, waxaa garoonka diyaaradaha ee magaalo madaxda Malta ee Valletta ku soo dhoweeyay qaar ka mid ah jaaliyadda oo ruxayaay caleenkeena. Danjiraha kullan balaaran ayuu la qaatay jaaliyadda Soomaliyeed ee deggan Malta, marka hore iyaga ayuu ka dhegaystay xaalkooda, badankoodana waxay uga warameen dhibkay soo mareen si ay u yimaadaan jaziiradda Malta, qaarna ay ku geeriyoodeen waddada iyo badda. Waxay ka codsadeen danjiraha inuu kala hadlo hay'adaha caawima qaxootiga, si ay ugu fududeeyaan sidii ay u heli lahaayeen sharciyo. Danjiraha wuu u ballan qaaday inuu kala hadli doono hay'dahaas, wuxuu kaloo uga waramay socdaalkii nabadda oo uu ku soo warramay waddanki iyo waxyaabihii uu kala soo kulmay, baaqiisii nabadda, is kaalmaynta.

Danjire Maxamed Cali Nuur (Ameeriko) intuu joogay Malta wuxuu soo booqday xaafada ay deggan Soomalida, isagoo u guurgalaayay xaalkooda.

Canada

Waddanka Canada waa meelaha dunida jaaliyadaha Soomaaliyeed ee qurbo joogta ahi ay ugu badan yihiin, gaar ahaan magaalada Toronto, wadankaani waa goobta qoyska danjire Maxamed Cali Nuur (Ameeriko) ay ku nool yihiin.

Jaaliyadda Soomaliyeed ee ku nool Toronto waxay danjiraha u qabteen xaflad aad u balaaran. Intuusan danjiraha warbixintiisii socdaalka nabadda bixin, waxay jaaliyadda gudoonsiiyeen danjiraha shahaado sharaf oo ay ugu mahadnaqayaan sidii wanaagsanayd oo uu danjiraha ugu soo shaqeeyey jaaliyadda Soomaliyeed ee Kenya, kaalmeeyay qaxootiga, dhulkii safaaradana soo celiyay iyo siduu u difacay calankeena intuu safiirka ka ahaa Kenya.

Danjiraha aad buu ugu mahadceliyay jaaliyadda, kaddib wuxuu uga warramay socdaalkiisii nabadda oo uu ku soo maray Soomaliya iyo kullamadiisii jaaliyadaha Soomaliyeed ee ku nool Europe.

Danjire

Danjire Maxamed Cali Nuur (Ameeriko) wuxuu ugu baaqay inay sii wadaan gargaarka ay mar walba u diraan walaalahood ku nool waddankeena, kuna booriyay inay maalgashaddan kana qayb qaataan dhisidda waddankeena, sida: iskuulo, cisbtitaalo, ceelal oo ah waxyaabihi aad ka looga baahnaa meeluhuu soo booqday.

Danjiraha wuxuu sidoo kale booqday magaalada Edmonton ee Canada. Jaaliyadda Soomaliyeed ee Edmonton xaflad balaaran ayay u qabteen danjiraha, iyagana waxay gudoonsiiyeen shahaado sharaf una mahadnaqeen sidii wanaagsanayd oo uu jaaliyadda Soomaliyeed ee ku nool Kenya u kaalmeeyay, gaar ahaan qaxootiga.

Danjiraha wuxuu ugu warramay socdaalkiisii nabadda iyo wuxuu ku soo arkay gobolladii uu soo booqday, una sheegay in meelo badan ay nabdoon yihiin, laakin meelo kalena ay u baahan yihiin kaalmo, uguna baaqay jaaliyadda in waddanka la maalgashado.

Maraykanka

Danjire Maxamed Cali Nuur (Ameeriko) wuxuu u safray waddanka Maraykanka si uu ula kulmo jaaliyadda Soomaaliyeed. Danjiruhu wuxu ka degay garoonka diyaaradaha ee Dulles, Virginia halkaasoo ay ku soo dhoweeyeen qaar ka mid ah jaaliyadda Soomaliyeed. Washington DC metropolital area, oo ah Washington DC, Virginia iyo Maryland, waa halkii uu danjiraha deganaa xilligii jaamacada dhigan jiray siddeedameeyadii.

Danjirahu intuusan la kulmin jaaliyadda wuxuu soo booqday xaafadii uu ka deganaan Washington DC, Maryland iyo Virginia, meeluu ka shaqayn jiray iyo jaamacaduu dhigan jiray oo ku yaalay Maryland. Kaddib ayuu kula kulmay jaaliyadda oo xaflad aad u balaaran oo si wanaagsan loo soo agaasimay ugu qaban qabteen magaalada Virginia. Danjiraha wuxuu la kulmay dad ay wada deganaan jireen iyo kuwo ay jaamacad wada dhigan jireen oo ay mar hore isugu dambaysay. Hadalkii waxaa bilaabay qaar ka mid jaaliyadda oo danjiraha ugu mahad celiyay booqashadiisa iyo inay aad ugu faraxsanyihiin in qof ay aad u yaqaanan uu safiir ka noqday Kenya, xilli ay muwaadhiniinta Soomaliyeed ee deggan waddankas aad ugu baahnaayeen, kaddibna uu safiirku wax badan oo wanaagsan u qabtay.

Danjiraha wuxuu ugu mahadceliyay soo dhoweynta wanaagsan iyo inuu ku faraxsan yahay la kulanka saaxiibo mar hore isugu dambaysay, wuxuu kaloo uga warramay socdaakiisa nabadda oo uu ku soo maray waddankeena iyo fariimihiisa nabadda, is cafinta oo uu la soo qaybsaday, haddanna uu iyaga la wadaagaayo.

Danjire Maxamed Cali Nuur (Ameeriko) wuxuu u safray magaaladda Minneapolis, Minnesota, waxaa garronka diyaaradaha ku soo dhoweeyay qaar ka mid ah jaaliyadda oo sita calanka Soomaliya. Xaflad aad u balaaran ayay Jaaliyadda Soomaaliyeed ee Minnesota u qabteen danjiraha. Jaaliyadda ayaa gudoonsiisay danjiraha shahaado sharaf ku aadan doorkiisa socdaalka nabadeed oo ah dhiiri gelin iyo in dadka raadiyaan nabadda, jaaliyaddu markay gudoonsinayeen shahaado sharafta danjiraha waxay wakiisheen fanaanadda qaranka Hibo Nuura.

Waxaaa kaloo ka soo qayb galay xafladda qaar ka mid ah fanaaninta Soomaaliyeed oo halkaas ka qaaday heeso waddani ah, kaddib waxaa hadlay qaar ka mid ah jaaliyaada oo ugu mahad naqay safiirka kaalina mugga leh oo waddaniyadda ku dheehan tahay oo uu ka qaatay dhinac istaaga jaaliyaada Soomaaliyeed ee ku nool Kenya, gaar ahaan qaxootiga oo ay haysay dhibaatooyin fara badan iyo gurigii safaarada oo uu sooceliyay.

Waxaa kaloo ka hadlay qaar ka mid ah dhallinyaro deganayd xeryaha qaxootiga ee dhadhaab oo ka sheekeyay maalinti u horaysay oo loo sheegay in danjiraha Soomaaliya ee Kenya uu soo booqan doona xeryaha qaxootiga, iyagoo ka sheekaynaayo maalintaas waxay yiraahdeen: “Maalin ka hor imaatinka safiirka ayaa naloo sheegay inuu danjiraha imaaanayo dhadhaab berito, aad ayaan ugu faraxnay, qaarkeen fasax ayaan ka qaadanay iskuulaadka si aan uga qayb galno soo dhowaynta safiirka.

Maalintuu imaanayaay waxaan ku soo dhoweynay farxad, sababtoo ah waxay ahayd maalin taarikh ah oo markii ugu horaysay oo uu danjire Soomaaliyeed na soo booqdo. Waxaan kaloon ku amaanaynaa danjire Maxamed Cali Nuur (Ameeriko) oo aan anaga u naqaan (Ambassador Ameeriko) inuu oofiyay ballamaduu naga qaaday oo ahayd inuu naga warqabaayo, na kaalmayno, deeqo waxbarasho (scholarship) noo raadin doono, imtixaano u galno qaarkeena helay deeqo waxbarasho, qaarkeena na siiyay baasaboro Soomaliyeed oo lacag la'aan ah. Mudane Ambassador Ameeriko aad iyo aad ayaad u mahadsantahay."

Danjire Maxamed Cali Nuur (Ameeriko) aad ayuu ugu mahadceliyay shahaado sharafka ay gudoomiyeen jaaliyadda Soomaliyeed ee Minnesota oo weliba ay sharaf wayn u tahay inuu ka gudoomo fanaanadeena qaranka Hibo Nuura. Danjiraha wuxuu jaaliyadda uga warramay socdaalkiisa nabadda oo uu ku soo maray Soomaaliya, jaaliyadaha Soomaliyeed ee Yurub, Canada iyo hadda uu joogo Maraykanka, wuxuu uga sheekeeyay magaalooyinkii uu ka soo booqday Soomaliya, wuxuu kala soo kulmay, fariintiisii nabada, in aan heshiino oo is cafinno inay danteena ku jirto. Ugu danbayntii wuxuu kula dardarmay jaaliyadda inay sii wadaan taakulaynta walaalahood dhibaataysan, waddankana ay maalgashadaan kana qayb qaataan dhisidda waddankeena.

SAWIRADA SOCDAALKA NABADDA EE MUQDISHO

Waa danjiraha oo ka kalluumaysanaya agagaarka xeebta Liido, Muqdisho, isaga oo ku jira socdaalkiisii nabadda, 2015.

Danjire Maxamed Cali iyo Malaaq Cali Malaaq Maxamed, goobtuna waa guriga Malaaqa ee Muqdisho, 2015.

Danjire

Waa danjiraha oo kabdhood ciyaaraya, dadka sawirka ka muuqda waxaa ka mid Khaliif Cabdulqaadir Macalin Nuur, 2013.

Danjiraha oo ku bunaysanaayo Mawlaca Macallin Nuur (AUN), Xildhiban Cumar Furdug (AUN), Ugaas Maxamuud Cali Ugaas, Gudomiye Cadde Gaabow iyo Shikh Jire Shikh Cali Cabdulle, 2013.

Danjire

Danjiraha oo hor taagan cisbitalkuu ku dhashay ee Rabo, Muqdisho, 2013.

Danjire Maxamed Cali (Ameeriko) oo ku dalxiisaayo xeebta Jaziira, 2014.

SAWIRADA SOCDAALKA NABADDA EE JUBBALAND

Sawirkaan waa danjiraha oo uu soo dhaweynayo Gen. Muxyadiin Cabdixakim Sayid. Waa markii uu ku soo degay garoonka diyaradaha ee Kismaayo, 2015

Danjire Maxamed iyo Gen. Muxyadiin Cabdixakim Sayid, waxay saaxiibo ahaayeen ilaa sideetamaadkii, sawirka hore 1987, kan kalana waa 2015.

Danjire

Waa Madaxeynaha Jubbaland Axmed Maxamed Islaam oo shahaado sharaf gudoonsiinaya danjire Maxamed Cali (Ameeriko), Kismayo,2015

Kulankii Danjire Maxamed Cali (Ameeriko), Madaxweynaha Jubbaland Axmed Maxamed Islaam iyo masuuliyin kale, Kismayo, 2015.

Danjire

Muuqaalkaan waa danjiraha oo ay weheliyaan wasiir Cabdirashiid Jire iyo asxaab kale, duleedka magaalada Kismaayo, 2015.

Waa danjiraha oo Kismaayo bannaankeeda xoolo dhaqato ku booqday, 2015.

Danjire

SAWIRADA SOCDAALKA NABADDA EE KOOFUR GALBEED

Danjire Maxamed Cali (Ameeriko) oo ka soo degay garoonka diyaaradaha ee Baydhabo janaay, 2015.

Waa danjiraha oo hoostaagan "bardihii ku yiilay isha Baydhabo", 2015.

Danjire

Madaxweyna Koofur Galbeed Shariif Xasan Shiikh Aadan oo danjiraha hadiyad qaali ah gudoonsiinaya, 2015.

Danjiraha oo ku qadaynaya cuntooyin iyo cabbitaanno gudaha waddanka ka baxa, Baydhabo 2015.

Danjire

SAWIRADA SOCDAALKA NABADDA EE PUNTLAND

Danjiraha oo socdaalkiisii nabadda ku jira kana degay garoonka Garowe, Puntland, 2015.

Danjiraha oo lagu soo dhoweynayo Garoonka diyaradaha ee Garowe, 2015.

Danjire

Danjiraha oo gurigiisa ku booqday Boqor Burhaan ee magaalada Qardho, 2015.

Waa danjiraha oo fardo (wagan) ah daaqaaya inta u dhexeysa Garowe iyo Qardho, 2015.

Danjire

Waa danjiraha oo ay madaxda gobolka bari ee Puntland ay ku soo dhoweeyeen Boosaaso banaankeeda, 2015.

Danjiraha iyo Gudoomiye Wacays oo booqday qaxootigii Yemaniyiinta ahaa deganaana Boosaaso, 2015.

Danjire

Waa danjiraha oo kayn cidlo ah gaarigiisa ku banjarsanaya waddada u dhexaysa Garoowe iyo Bosaaso, 2015.

Madaxweynaha Puntland Cabdiweli Cali Gaas oo hadiyad gudoonsiinaayo danjire Maxamed Cali Nuur (Ameeriko), Garoowe, 2015.

SAWIRADA SOCDAALKA NABADDA EE GALMUDUG

Danjiraha oo Gaalgacyo ku soo dhoweeyeen madaxweynihii hore ee Galmudug Mudane Caalin iyo madax kale, 2015.

Danjiraha iyo saaxibkiis Junaid Cigale oo shaah ku cabaaya tuulo u dhaxeysa Galgacyo iyo Cadaado, 2015.

Danjire

Madaxweyne Cabdikariim Xuseen Guuled oo danjiraha ku soo dhoweeyay aqalka madaxtooyada ku meel gaarka ah ee Cadaado, Galmudug, 2015.

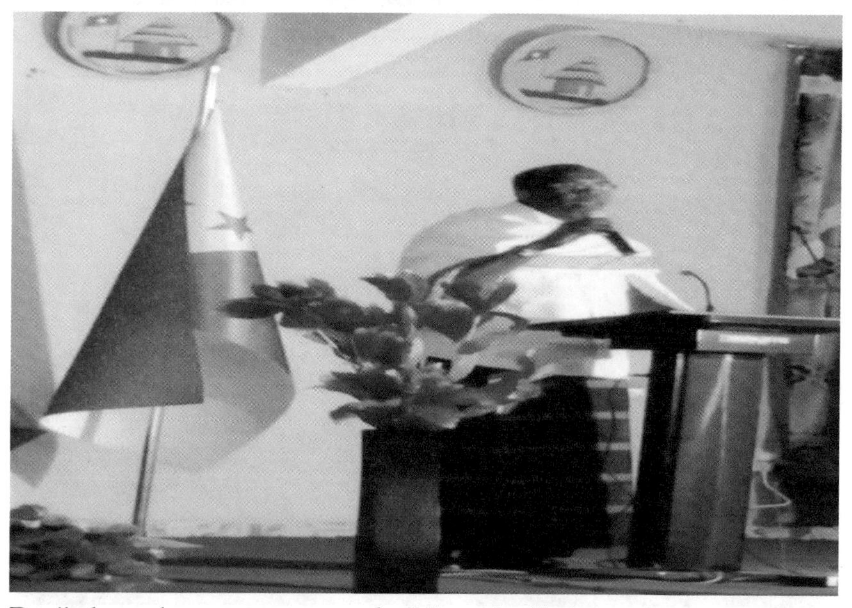

Danjiraha oo ka waraamaayo socdaalkiisa nabadda isagoo ku sugan xafladii loogu sameeyay Cadaado, 2015.

SAWIRADA SOCDAALKA NABADDA EE SHABEELLAHA DHEXE

Danjiraha oo uu soo dhaweeyey Gudoomiye Maxamuud Saney oo uu la socdo Malaaq Cali Malaaq Maxamed, 2015.

Danjire Maxamed Cali (Ameeriko) oo socdaalkiisi nabadda ku tagay degmada Balcad oo bulshada reer Balcad oo uu hogaaminaayo gudoomiue Maxamud Saney ay si diiran u soo dhoweeyeen, 2015.

Danjire

Gudoomiyaha degmada Balcad Maxamuud Saney oo abaal marin socdaalka nabadda ah gudoonsiinaya danjiraha, oo uu dhinaca taagan yahay Xildhibaan Qaasim Furdug, 2015.

Waa danjiraha oo Jowhar kula sawiran dhallinyaro aad ugu faraxsan aragtida danjire Maxamed Cali Nuur (Ameeriko), Jowhar, 2015.

Danjire

Gudoomiyaha gobolka Shabeeladda Dhexe Cali Guudlaawe iyo madax kale oo Danjiraha ku soo dhaweynaya Jowhar, 2015.

Danjiraha oo isagoo shirbaayo oo wato dharkii hiddaha iyo dhaqanka dhex socdo Jowhar, 2015.

Danjire

Gudoomiyaha Warshiikh Axmed Xuseen (Shidka) iyo dadweyne badan ay danijiraha ku soo dhaweynayaan Warshiikh, 2015.

Danjiraha oo ka kalumaysanaayo xeebta Warshiikh, 2015.

Danjire

Danjiraha oo ku lugaynaayo xeebta quruxda badan ee Warshiikh, 2015.

Gudoomiyaha Warshiikh Axmed Xuseen (Shiidka) hadiyad qaali ah gudoonsiinaya danjiraha, 2015.

SAWIRADA SOCDAALKA NABADDA EE SOOMAALILAND

Danjire Maxamed Cali Nuur (Ameeriko) oo ka soo degay garoonka diyaaradaha ee Xaaji Maxamed Ibraahim Cigaal ee Hargeysa, Somaliland, 2015.

Waa danjiraha oo suuqyada Hargeysa dhex lugaynaya, 2015.

Danjire

Danjiraha oo wax ka iibsanaayo suuqyada Hargeysa, 2015.

Danjiraha oo soo booqday xarunta hiddaha iyo dhaqanka ee Hidda Dhawr, Hargeysa, 2015.

Danjire

Danjiraha oo ku lugaynayo xeebta Berbera, 2015.

Waa danjiraha oo booqday foornadii Cilmi Boodhari (AUN) ee Berbera, 2015.

SAWIRADA SOCDAALKA NABADDA EE QURBAHA

Jaaliyadda Soomaaliyeed oo danjira ku soo dhoweynaya garoonka diyaaradaha ee Copenhagen, Denmark, 22kii May, 2015.

Danjiraha oo la hadlaya jaaliyadda Soomaaliyeed ee magaalada Copenhagan ee Denmark, 23 May, 2015.

Danjire

Kullankii danjiraha iyo jaaliyadda Soomaaliyeed ee Aarhus, Denmark, socdaalki nabadda, 25 May, 2015.

Danjiraha oo booqday dukaamada ay jaaliyadda Soomaliyeed ay ku leeyihiin magaalada Aarhus, Denmark, 2015.

Danjire

Danjiraha oo lagu soo dhowaynaayo train station ka magaalada Vaxjo, Sweden, 2015.

Danjire

Xafladdi ay jaaliyadda Soomaliyeed u dhigeen danjiraha, Vaxjo, Sweden, 2015.

Danjire

Waa maamulaha dugsi ku yaal magaalada Vaxjo, Sweden oo danjiraha gudoonsinaayo geed uu ugu magac daray “geedkii nabadda”, 2015.

– Vi har fest här, kom in, kom in! hälsar en man i entrén till the Black-box på Araby Park arena. Från rummet strömmar somalisk musik, på en tillfällig scen sitter Mohamed Ali Americo.

Somalisk ambassadör besökte Växjö

Waa wargays ka mid ah kuwa ugu waa weyn waddanka Sweden oo wax ka qorey booqashadii Danjire Maxamed Cali (Ameeriko) ku tagay magaalada Vaxjo, 27kii May 2015.

Danjire

Waa soo dhaweyntii loo sameeyey Danjire Maxamed Cali (Ameeriko) ee caasimadda Sweden ee Stockholm, 29kii May 2015.

Danjire

Xaflad ay u sameeyeen jaaliyadda Soomaliyeed ee ku nool magaalada Katrineholm, Sweden oo ay gudoonsiiyeen shahaado sharaf, 2015.

Danjire

Danjiraha oo jaaliyadda Soomaaliyeed ee Norway ay ku soo dhaweeyey garoonka diyaaradaha ee Oslo, 2dii June 2015.

Danjire

Kulanka jaaliyadda Soomaalida iyo danjiraha ee magalada Oslo, Norway 3dii June 2015.

Danjire

Halkaan waa Helsinki, caasimadda Finland oo jaaliyadda Soomaaliyeed ay danjiraha ku soo dhaweynayaan gegida diyaaradaha 6dii June, 2015.

Danjire

Kulanka jaaliyadda Soomaaliyeed iyo danjiraha ee magaalada Helisinki Finland, 7dii June 2015.

Danjire

Soo dhaweyntii danjiraha loogu sameeyey magaalada madaxda Holland ee Amsterdam, 28kii August, 2015.

Xafladii ay u sameeyeen jaaliyadda Soomaliya ee Holland, 2015

Danjire

Xafladdii ay jaaliyada Soomaliyeed ee Holland oo Magan Tahir, oo ciyaaro kubbada miiska gudoonsiiyay hadiyad danjiraha, Holland, 2015.

Danjire

Xafladdii ay jaaliyadda Soomaliya ee London, UK u sameeyeen danjire Maxamed Cali (Ameeriko) 6dii September 2015.

Danjire

Fannaankii weynaa Axmed Ismaaciil Xudeydi (AUN), danjiraha iyo fanaaniinta Aar Maanta iyo Cabdinuur Jazz, London, 2015.

Danjire

Danjiraha oo garoonka diyaaradaha ee jasiiradda Malta ay ku soo dhoweey-een qaar ka mid ah jaaliyadda Soomaalida ku nool Malta, 19 Septembar 2015.

Danjire

Jaaliyadda Soomaaliyeed ee Toronto oo xaflad balaaran u samaysay danjiraha, 30kii January 2016.

Danjire

Jaaliyadda Soomaliyeed ee Toronto oo shahaado sharaf gudoonsiiyay danjiraha, 2016.

Danjire

Fanaaninta qaranka ee mama Khadija Cabdullahi Delays (AUN) iyo Faduma Cali Nakruuma oo heeso wadani ah ka qaaday xafladda, Toronto, 2016.

Jaaliyaada Soomaliyeed ee Toronto oo dhegaysayo khudbadda danjire Maxamed Cali (Ameeriko), Toronto, 2016.

Danjire

Danjire Maxamed Cali (Ameeriko) oo kulan la qaadanaya jaaliyadda Soomaaliyeed ee Washington DC, Maryland iyo Virginia, 2016.

Danjire

Xafladii ay jaaliyadda Soomaliyeed ee Minnesota u sameeyeen danjire Maxamed Cali (Ameeriko), 2016

Danjire

Danjiraha oo u khudbaynaayo jaaliyadda Minnesota, 2016.

Fanaanadda qaranka Hiba Nuura oo danjiraha gudoonsiinaysa shahaado sharaf ku aadan safarka nabadda, Minnesota 28/05/2016.

Danjire

Danjiraha iyo Xasan Cafiif, cayaartooygeeni kooxda kubbada cagta ee Horseed iyo xulka qaranka Soomaliya, Dooxa, Qadar, 2019.

Danjiraha iyo Maxamed Ismaaciil Cali cayaartooygeeni kooxda kubbada cagta ee Horseed iyo xulka qaranka Soomaliya, London, UK, 2019

CUTUBKA
9

CUTUBKA 9

SIYAASADDA DANJIRAHA

Danjire

Siyaasadda Danjiraha

Soomaaliya waxay soo martay marxalado kala gedisan, lixdankii sano ee la soo dhaafay oo ay ahayd wadan xor ah oo leh xuduud calamiya oo la aqoonsan yahay, maamulada soo maray oo kala ahaa xilligii dawladda rayidka ee u dhaxaysay 1960 ilaa 1969, wakhtigii xukunka ciidamadu haystay oo u dhaxaysay 1969 ilaa 1990, sanadihii badnaa ee dagaalada sokeeye iyo dowladihii ku meelgaarka ahaa iyo markii la aqoonsaday dowladda Soomaaliya ee ka dambeeyay, dhibaatada mudadaas taagnayd waxa asal ah u ah hanaanka musuqa, eexda, nin jeclaysiga, cadaalad darrada, qabiilka iyo maamul xumida ka jirtay hay'addaha dawliga ah iyo bulshada dhexdeeda. Taasoo lumisay kalsoonidii qofeed iyo tii ummadeedba.

Sanado badan oo aan ka shaqeeyey maamulkii dawladda, diblomaasiyadda, arrimaha bulshada iyo nabadaynta, waxaan ka bartay in loo bahan yahay arrimahaan soo socda in dadka Soomaaliyeed maanka ku hayaan.

Siyaasadda hagaysa maamul kasta oo wadanka ka dhisma waxay u baahan tahay in lala yimaado dad ay ku wayn tahay aaminsana Soomaalinimo, oo ay ka go'an tahay inay samata bixiyaan wadanka, midnimana u horseeda waddanka, si jiilasha dambe looga tago dhaxal ay harsadaan. Waxaana taas lagu gaari karaa in dadkaas isku fikirka ahi ay la yimaadaan barnaamij siyaasi ah oo ballaaran, kaas oo taabanaaya baahida dadka iyo dalka Soomaaliyeed, oo leh hadaf iyo yool muuqda wakhtiga dhaw iyo midka fog.

Qofka hogaamiyaha ummada noqonaaya waa inuu ka fogaado: siyaasad qabiil, musuq maasuq, maamul xumo, dhaca hantida dadweynaha, ku xad gudub awoodeed, lunsasho hanti qaran, xatooyo xoola dadweyne, ka qeyb qaadasho ganacsi sharci darro ah, burburin hanti qaran iyo mid dadweyne, dil dad rayid ah, xasuuq ummadeed, wax u dhimis qowmiyaddeed iyo cadaalad la'aan.

Danjire

Soomaaliya waxay u baahan tahay hogaamiyaal leh karti, aqoon, khibrad, daacadnimo, indheer garad, oo ka shaqayeeya dib u heshiiyiin, is cafis iyo mideeynta dalka.

Haddaba, Soomaaliya si ay u hesho nidaam xoog leh oo ismaamul heer degmo, heer gobol iyo heer qaran, waxaa lagama maarmaan ah in la beddalo hab fekerka ku dhisan saraynta qabiilka iyo in laaluush lagu doonto xilal.

Danjire Maxamed Cali Nuur (Ameeriko) ayaa sheegay in waxa bulshada Soomaaliyeed markhaatiga ka tahay gadashada codadka doorashooyinka, kala dilaalista iyo musuqa lagu imanayo hogaanka wadanka ay tahay masiibo jilbaha dhulka u dhigaysa in wadanka loo helo dad daacad u ah oo waddanka dhinaca wanaagsan wax u hogaaminaya.

Danjiraha isagoo ka hadlayo amniga ayaa yiri: ”Amniga waa mid uu xaq u leeyahay qof kastoo ku nool Soomaaliya inuu helo, ayse jirto mu’aamarad weyn oo ku wajahan dabargoynta ummadda, sida dilalka loo gaysanayo aqoonyahanada, siyaasiyiinta, ganacsatada, culimo’udiinka iyo dhamaan qaybaha kale ee bulshada, waana nooc cabsi gelin ah, bulsho la cabsi geliyaana ma noqon karto mid xor ah oo rabitaankeeda ka hadli karta kana tashan karta. Maadaama amniga yahay furaha nolosha, qof kasta oo muwaadhin Soomaliyeed ah xaq ayuu u leeyahay inuu nabad ku noolaado, si xorriyad ahna doorasho u geli karo, waxaa lama huraan ah in uu dalka leeyahay ciidan tayo, tiro, tababar iyo agab wanaagsan leh, oo aan qabiil u shaqayn laguna soo xulin.”

Waxaa jira arrimo muhiim u ah jiritaanka waddanka, ummadda iyo in la helo isbedel wanaagsan oo hana qaada, waxaana melaha uu danjire Maxamed Cali Nuur (Ameeriko) tilmaamay, ayna ka mid yihiin: dib u qaabaynta waxbarashada iyo tayada wax qabad ee qofka, si loo helo jiilal hanan kara shaqooyinka qaranka, gaarsiinna kara adeegyada ay u bahan yihiin dadka Soomaaliyeed.

Danjire

Danjiruhu wuxuu sheegay in dhallinyaradu yihiin hogaamiyaasha mustaqbalka wadankana samata bixin kara, waa in la dhiiri geliyaa dhallinyarada, haddaysan iyagu gacmaha is qabsanna dhibaatada aan laga bixi doonin, fikirka danjiraha waxaan ku cabiri karaynaa guurowgaan magaciisa la yiraahdaa: "Dhallinyaro", waxaa tiriyay laashin Maxamed Gacal Xaayow (AUN). Wuxuu la hadlaayaa dhallinyarada Soomaaliyeed ee halbowlaha u ah jiritaanka qowmiyadda Soomaaliyeed.

Dhallinyaradu waligeedba waa, dheeman iyo luule
Dhaayaha wax lagu eego iyo, dhumucdi weeyaane
Dhulka ubaxa lagu beeray iyo, dhibicdi weeyaane
Dhafan dhaafka howlaha kuwaan, raadka dhugan weeye
Dhudhunkii afmaashiyo, tacliin dhigata weeyaane
Waa wax dhir iyo foox uga udgoon, waalidkii dhalayee.

Dhisinka iyo udubkii la muday, Dhidibki weeyaane
Cadceed dhalatay waa dhala-lac yiri, Dhoolki bari weeye
Dhaqankiyo siyaasada dhunteey, Dhab u tilmaamaane
Dheg xumadaya ceeba waqood, Umma dhibqaataane
Dhagar qabaha dhuunta u jaraa, Dhowla qowsadaye
Lafti dhabarka weeyoo dhextiil, Labada dhoonsaare
Dhiti duur ka baxa weeye iyo, dhebagi toosnaaye
Dhiil la culaye dhaay lagu lisaye, kuu dhedhemi weeye
Dhoombir culus risaas lagu dhacshee, dhooba kala jeexday
Oo dhebedda howdkiyo ugaartuba, ka dhiillootay
Dhiirranow Libaax iyo Shabeel, dhirifsan weeyaane
Oo aan nin u dhedaystaya marnnaba, dheefu sabanaynee.

Danjire

Dhabbaan xagal lahayn iyo Hallood, khayr u dhaca weeye
Dhiigtaar xididda yeeshoon caqliga, loogu dhicin weeye
Horseed dhaba dhufays lagu gambado, dhuumashadi weeye
Ma dhaafaan dharaartii shan iyo, tobanka May'e (15-May)
Dhallinyarada Soomaalideey, ugu dhaxaysaaye
Aniguna dhankaan ka cuskadaan, dheelli tirayaahee.
Dharaaraha mid baa lagu ledaa, dhowrashada guud'e
Marbaa dhaxanta geed laga dugsado, dhacaru fuushaaye
Mar baa dhaxalka wiil looga boxo, dhabarka saartaaye
Dhukaanka iyo gaajada marbaad, dhogor gaddootaaye
Marbaad dhedaya neecaaw qabow, laabta dhigataaye
Marbaad dhiirri uga aarsataa, dhugus waraabaahe
Marbay dhacantu oodaha hortood, dan u dhammaataayee.

Iyagoo debkeey dhilinayeen, dhuxushi qiiqaydo
Dhambaalkii nabsiga baa ku dhacay, ciidankuu dhurane
Hubkeey soo dhifteen weeraybay, dhagac ku siiyaane
In kastoon wax loo dhimin dadkay, dhinac ka raaceene
Dhallinyaradi hiyi dhaaftay baa, taladi loo dhiibay
Shacabkii la kal dhowri jiray, dheef wadaag noqoye
Aniguna dhawaaq mayska dhigay, dhowr habeen jirayee

Danjire

Diblomaasiyadda

Danjire Maxamed Cali Nuur (Ameeriko) oo ka hadlaya dhinacyada diblomaasiyadda ayaa yiri: "Xiriirka aad dunida qaybaheeda kale la leedahay waa murayadda bixinaysa muuqaalka uu leeyahay wadankaada, in la xoojiyo diblomaasiyadda ayaana u ah fure. Adkaynta xiriirka dibaddu wuxuu u baahan yahay in la helo diblomaasiyiin aqoon iyo hufnaan leh, sidoo kale leh waayo aragnimo xiriirada caalamiga ah iyo danaha kala duwan ee wadamadu kala leeyihiin, waana halka u baahan in laga jaan qaado markasta oo la doonaayo in xiriirka Soomaaliya ay la leedahay wadamada kale iyo jaaliyadaha Soomaaliyeed la hagaajiyo".

Wakhtigii uu Danjire Maxamed Cali Nuur (Ameeriko) ka shaqaynayey hawlaha diblomiyaasiyadda, wuxuu dersay in qodobadaan soo socda oo la helaa muhiim u yihiin xiriirka caalaamka: -

1. In la sameeyo xiriir cusub oo dhaqaale, mid bulsho, dhaqan, iskaashi siyaasadeed iyo nabagalyo leh, kuwaasoo u dhaxeeya dowladaha aduunka, dowladaha caalamkana lagula dhaqmo walaaltinimo iyo saaxibtinimo wanaagsan.

2. In lagu dhameeyo wadahadallo, wixii khilaaf ah ee soo baxa, muhimna ay tahay in xuduudaheena aan ka hadal laheen. Xasiloonida iyo nabadu waxay laf dhabar u yihiin horumarinta waddan iyo bulsho, waana in la xoojiyaa.

3. In ay ka go'antahay dowladda ogalaanshaha xuquuqda aasaasiga ah ee dadka ku nool wadanka.

4. Si loo abuuro is dhexgal dhaqaale, loona horumariyo wax wadaqabsiga ummadaha, waa in si wadajir ah loola dagaalamo dembiilayaasha, kuwa ka ganacsada maandooriyaasha, hubka sharci darada ah, sunta deegaanka bad iyo berri lagu shubo, ku xad gudubka khayraadka dabiiciga ah ee dal leeyahay.

Danjire

5. Dhinaca dawladaha gobolka; waa iney ku heshiiyaan nidaam u sahlaya muwaadiniintooda, kala ganacsiga, wax isdhaafsiga, isu socodka iyo kawada shaqaynta amaanka, si loo gaaro isdhexgal dhaqaale oo dhab ah.

Waxaan ku soo gunaanadaynaa buuggan, aayaddaan quraanka ah;

فَبِمَا رَحۡمَةٖ مِّنَ ٱللَّهِ لِنتَ لَهُمۡۖ وَلَوۡ
كُنتَ فَظًّا غَلِيظَ ٱلۡقَلۡبِ لَٱنفَضُّواْ مِنۡ
حَوۡلِكَۖ فَٱعۡفُ عَنۡهُمۡ وَٱسۡتَغۡفِرۡ لَهُمۡ
وَشَاوِرۡهُمۡ فِي ٱلۡأَمۡرِۖ فَإِذَا عَزَمۡتَ
فَتَوَكَّلۡ عَلَى ٱللَّهِۚ إِنَّ ٱللَّهَ يُحِبُّ
ٱلۡمُتَوَكِّلِينَ ١٥٩

Nebi Allow, (SCW) "Naxariis Eebbe kuu galay darteed ayaad ku noqotay qof debecsan, haddii aad ahaan lahayd mid kakan oo qalbi adag, dadku way kaa kala tegi lahaayeen. Iska cafi dadka, danbi dhaafna Alle u waydii, kalana tasho arrimaha, haddii aad go'aan qaadatidna Alle talo saaro. Alle wuxuu jecel yahay kuwa tala saarta". (Suuradda Al-cimraan, aayadda 159).

Aayadaan quraanka ah waxay xambaarsan tahay micno aad u balaaran iyo talooyin xaqiiq ku qotoma oo hogaamiye kasta laga rabo, marka laga soo tago Nebi Maxamed (SCW) oo Alle kula hadlayo, haddana macnaha ka sii fog ee ku jiraa, waa in qofka hogaamiyaha ah ee doonaya in ummadda uu hogaaminayaa ay jeclaato uu yeesho astaamaha aayaddani tilmaamayso, oo kala ah; in hogaamiyuhu leeyahay dulqaad iyo naxariis, iyada oo aysan meesha ka maqnayn go'aamo adag oo badbaadada dadku ku jirto, marka loo baahanyahay. Hoggaamiyaha dhabta ah waa kan danta shacabka ka hor mariya wax kasta.

Waa midka ay talada la leeyihiin cidda ay tahay in lala tashado. Ma ahan kaligii taliye, isagu isla quman, islaweyn, islana saxan mar walba. Waa masuulka go'aamada uu qaato Alle u talo saarta.

Intaan waa astaamaha hogaamiyaha iyo qofka dadka Soomaaliyeed u noqon kara mid taladooda hor kaca, si ay uga samata baxaan hadimooyinka khatarta ah ee ku xeeran.

Alle ayaan ka baryeynaa inuu tawfiiqda na waafajiyo, wadankeena Soomaaliya iyo dadkeena ka dhigo kuwo nabad iyo barwaaqo ku noolaada.

Madaxweyne Cabdullaahi Yuusuf Axmed (AHUN) iyo danjire Maxamed Cali (Ameeriko), 2008.

Akhris wacan

Fadlan wixii talo ah iigu soo hagaajiya

nabad1012@gmail.com

2021

Muqdisho, Soomaaliya

Danjire M

Maxamuu

Danjire

Danjire Maxamed Maxamed Cali Nuur (Ameeriko) iyo Madaxweyne Shiikh Shariif Shiikh Axmed, 2010.

laxamed Cali Nuur (Ameeriko) iyo Madaxweyne Xasan Shiikh
d, 2013.